L150

University

Libro 1

Vivace

Intermediate Italian

This publication forms part of the Open University module L150 *Vivace: Intermediate Italian*. Details of this and other Open University modules can be obtained from the Student Registration and Enquiry Service, The Open University, PO Box 197, Milton Keynes MK7 6BJ, United Kingdom: tel. +44 (0)845 300 60 90, email general-enquiries@open.ac.uk

Alternatively, you may visit the Open University website at http://www.open.ac.uk where you can learn more about the wide range of modules and packs offered at all levels by The Open University.

To purchase a selection of Open University study materials visit http://www.ouw.co.uk, or contact Open University Worldwide, Michael Young Building, Walton Hall, Milton Keynes MK7 6AA, United Kingdom for a brochure. tel. +44 (0)1908 858793; fax +44 (0)1908 858787; email ouw-customer-services@open.ac.uk

The Open University
Walton Hall, Milton Keynes
MK7 6AA

First published 2011.

Edited and designed by The Open University.

Typeset by The Open University

Printed in the United Kingdom by Page Bros, Norwich

N9781848733695

1.1

Contents

Production team

Academic team

Uwe Baumann (academic)

Lucia Debertol (curriculum manager)

Felicity Harper (academic)

Marie-Noëlle Lamy (academic)

Anna Proudfoot (module chair, academic, author *Unità* 1 and 5, co-author *Unità* 2 and 6, coordinator *Unità* 1, 2, 5 and 6)

Alessandro Taffetani (secretary)

Elisabetta Tondello (academic, author and coordinator *Unità* 3 and 4)

Elodie Vialleton (module chair, academic, co-author *Unità* 2, coordinator *Unità* 1, 2, 3, 4, 5 and 6)

Consultant author

Alessia Plutino (co-author *Unità* 6)

External assessor

Loredana Polezzi (University of Warwick)

Critical readers

Ximena Arias-McLaughlin

Anna Calvi

Anna Comas-Quinn

Fiona Durham

Media team

Michael Britton (editorial media developer)

Lene Connolly (print buying controller)

Kim Dulson (assistant print buyer)

Sarah Hofton (graphic designer)

Sue Lowe (media project manager)

Margaret McManus (rights assistant)

Alex Phillips (media assistant)

Esther Snelson (media project manager)

Helen Sturgess (media project manager)

Special thanks

The academic team would like to thank everyone who contributed to the course by being filmed or recorded, or by providing photographs.

Instructions used in the course

Abbinate	Match up
Annotate	Note down
Cercate	Find / look for
Cercate di	Try to
Collegate	Match / Link / Join
Completate la tabella / le frasi / il testo	Complete the table / the sentences / the text
Confrontate	Compare
Correggete le frasi	Correct the sentences
Date delle informazioni / dei consigli	Give some information / some advice
Decidete se...	Decide whether...
Descrivete	Describe
... di nuovo	again
Guardate	Look at
Immaginate	Imagine
Includete	Include
Individuate	Identify
Inserite le parole mancanti	Put in the missing words
Leggete il testo / dialogo	Read the text / dialogue
Mettete i verbi all'imperfetto / al passato prossimo / al futuro.	Put the verbs into the imperfect / perfect / future tense
Motivate la vostra scelta	Give reasons for your choice
Osservate gli errori	Look at the mistakes
Potete iniziare così...	You can start [your answer] like this...
Rileggete	Read ... again
Rispondete alle domande	Answer the questions
Scegliendo la risposta corretta	Choosing the correct answer
Scegliete	Choose
Scegliete fra le foto / opzioni / alternative proposte	Choose from the photos / options / alternatives offered
Scrivete degli appunti / alcuni commenti	Make some notes / some comments
Scrivete la risposta corretta.	Write the correct answer.
Seguite	Follow
... seguendo l'esempio	following the example
... come nell'esempio	as in the example
Segnate	Indicate / mark / tick

Segnate se le seguenti affermazioni sono vere o false	Mark / tick whether the following statements are true or false
Sottolineate i sostantivi / i verbi / gli aggettivi	Underline the nouns /verbs / adjectives
Traducete in inglese	Translate into English
Trasformate	Change ... (in)to, turn ... into, transform
Trovate	Find
Trovate la prima risposta come esempio.	The first one has been done for you.

l'attività	activity
l'unità	unit
la tabella	table
lo schema	table
l'elenco	list
la lista	list
la risposta	answer
la domanda	question
la frase	sentence
la parola	word
Chiave	Key (Answers)
la sezione A dell'Attività 2.4	step A of Attività 2.4
ogni elemento / foto	each element / photo
accanto a	next to, beside

La famiglia

This unit looks at the family in contemporary Italy and how it has changed in recent years, as well as at the ceremonies and traditions surrounding important moments in family life such as the birth of children and weddings. It covers language for talking about relatives, giving news of them and saying what has changed in their lives.

Key learning points

- Describing family members and talking about family life

- Expressing belonging using *mio, tuo, suo,* etc.

- *Il più grande, la meno costosa:* expressing 'the most/least' in Italian

- Using *perché* and *siccome*

- *Mi sono alzato:* using the perfect tense of reflexive verbs

Culture and society

- Italian research institutes

- Marking family events

- Religion and tradition

Overview of *Unità 1*

Attività	Themes and language practised
1.1–1.4	Family life in Italy; vocabulary relating to relatives and family; the language of newspaper headlines.
1.5–1.8	Individual families, including your own; expressing belonging: *mio, tuo, suo,* etc.; expressing 'the most / the least' in Italian.
1.9–1.10	Descriptions of family members; using *perché* and *siccome*.
1.11–1.12	Talking about past events using the perfect tense *(passato prossimo)* of reflexive verbs: *mi sono alzato*; writing an informal letter.
1.13–1.16	Religion, traditions and ceremonies; the new shape of families in modern Italy.
1.17	Writing practice: describing your family.
Bilancio	Check your progress; further study tips.

The first group of activities deals with vocabulary relating to the family and newspaper headlines relating to family life.

Attività 1.1

Leggete il testo e rispondete alle domande scegliendo la risposta giusta.

Read the text and choose the correct answer for each question.

La mia famiglia

Mi chiamo Fabio Saviano e sono nato a Salerno un anno fa. Abito a Fisciano dove vivo con la mia famiglia. In queste pagine voglio parlare dei miei genitori, della mia sorellina Susy, dei miei nonni e di tutti i miei parenti.

La mia mamma si chiama Carmela. Fa la casalinga, resta a casa perché deve accudire me, che a dire il vero non do molto fastidio tranne quando devo mangiare o essere cambiato, e la mia sorellina, che, al contrario di me, è una vera peste.

Il mio papà si chiama Enrico, non lo vedo molto a casa perché è sempre in giro per lavoro e comunque quelle poche volte che lo vedo è sempre stanco.

In fine c'è la mia sorellina, Susy. È nata a Salerno cinque anni fa. Di lei cosa posso dire? È una vera e propria peste, non mi lascia mai in pace specie quando cerco di dormire. Papà e mamma le dicono una cosa e lei fa sempre il contrario, non sta ferma un solo secondo.

I miei nonni materni si chiamano Cosimo e Trofimena. Cosa posso dire di loro? Sono le persone più meravigliose del mondo, del resto come tutti i nonni con i

propri nipoti. Vengono tutti i giorni a trovarci e li osservo sempre.

Li guardo e vedo i loro occhi pieni di tanto amore. Hanno tanta pazienza con noi bimbi. La nonna Trofimena ha insegnato delle canzoncine a mia sorella Susy e sono belle, alcune sono in dialetto e mi fanno ridere perché Susy non le sa pronunciare.

I miei zii Enzo e Vittoria abitano a Fisciano anche loro con i miei cugini Filippo e Sabrina e il loro cane Laika. La domenica andiamo a pranzo dai miei nonni e ci sono anche loro e giochiamo tutti insieme.

(Adattato da www.giovanniricca.it/la_mia_famiglia.htm) [consultato il 3 febbraio 2010]

Vocabolario

accudire   *to care for*

dare fastidio   *to be a nuisance, be trouble*

tranne   *except*

la peste   *(lit: plague) pest*

specie   *especially, particularly*

fermo,-a   *still*

la canzoncina   *diminutive of* canzone *(= song)*

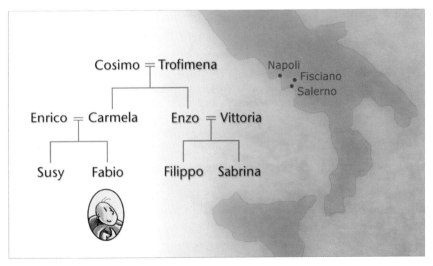

1 (a) Fabio ha una sorella più grande di lui. ☑

   (b) Fabio ha una sorella più piccola di lui. ☐

   (c) Fabio ha una sorella gemella. ☐

2 (a) La mamma di Fabio lavora fuori casa. ☐

   (b) La mamma di Fabio non lavora. ☐

   (c) La mamma di Fabio lavora – fa la casalinga! ☑

3 (a) Cosimo e Trofimena sono i genitori di Carmela. ☑

   (b) Cosimo e Trofimena sono i genitori di Fabio. ☐

   (c) Cosimo e Trofimena sono i genitori di Enrico. ☐

4 (a) Gli zii di Fabio abitano lontano. ☐

   (b) Gli zii di Fabio abitano dai nonni. ☐

   (c) Gli zii di Fabio abitano nella stessa città. ☑

5 (a) La domenica Fabio e tutti i suoi parenti mangiano al ristorante. ☐

   (b) La domenica Fabio e tutti i suoi parenti vanno a pranzo dai nonni. ☑

Lingua 1.1

Mia madre, la mia mamma

Generally, you don't need the definite article when referring to relatives in the singular:

   mia madre

   mio padre

However, the definite article is always used when the noun has a suffix such as *–ino* (often used to express affection) or an adjective:

   la sua sorellina

   il mio amato fratello

It is also sometimes used – although this is not a rule – with *nonno* ('grandfather'), *nonna* ('grandmother'), *babbo* or *papà* ('daddy') and *mamma* ('mummy'):

   la mia mamma

   il mio nonno

Attività 1.2

A

Ecco alcune foto che illustrano la famiglia italiana di oggi. Collegate le foto ai titoli corrispondenti.

Here are some photos depicting the Italian family of today. Link each photo to the corresponding headline.

1

2

3

4

5 (2)

(a) (5)

Nonni a scuola dai nipoti: oggi lezione di Internet

I ragazzi e gli anziani imparano insieme a creare un giornale online.

(b) (2)

Papà a passeggio

In centro, la domenica senza traffico per la festa del papà.

(c) (3)

Mamme al lavoro, nonne in casa

Le mamme lavorano e le nonne fanno da babysitter.

(d) (1)

Donne in carriera: il dietrofront

Una donna su quattro lascia il lavoro e torna a casa per stare con marito e figli.

(e) (4)

Bambini a letto tardi: troppe ore davanti alla TV

I genitori dicono: così passiamo più tempo insieme.

As in other languages, **Italian newspaper headlines** *(i titoli)* are kept as short as possible and are often composed entirely of nouns or proper names without a definite or indefinite article. Adjectives and participles are often used but not complete verbs.

When you are carefully piecing together the grammar of each sentence, at this stage of learning the language, it may feel a little baffling to find that some of the building blocks you are getting used to have been swept away! Knowing that this is the general style of headlines in Italian should give you confidence in engaging with them.

B

Trasformate i seguenti titoli in frasi complete aggiungendo il verbo adatto e l'articolo se necessario.

Turn the headlines below into full sentences by choosing the appropriate verb and article if necessary.

1 **Oggi treni fermi** ~~Oggi (sono i treni) fermi~~ *[handwritten: Oggi (sono i treni) fermi]*
2 **Ragazza uccisa da auto rubata** *[handwritten: Una ragazza è stato uccisa da un'auto rubata]*
3 **Berlusconi stanco e deluso** *[handwritten: Berlusconi è stanco e deluso]*

C

Qui sotto trovate un elenco incompleto di nomi che riguardano la famiglia. Con l'aiuto dei titoli di giornale nella sezione A di questa attività cercate quelli che mancano e inseriteli nella tabella.

Below you will find an incomplete list of nouns referring to the family. Using the newspaper headlines in step A of this activity, find the nouns that are missing and fill in the gaps in the table.

Singolare maschile	Singolare femminile	Plurale
il nonno	la nonna	i *nonni*
il *papà*	la *mamma*	i genitori
il figlio	la figlia	i *figlie*
il *fratello*		i fratelli
	la *sorella*	le sorelle
il nipote	la nipote	i *nipoti*
lo zio	la zia	gli zii
il cugino	la cugina	i cugini
il *marito*	la moglie	i coniugi

D

Ecco alcune altre foto di famiglie italiane. Inventate un titolo e sottotitolo adatto (10–12 parole) per ogni foto, seguendo il modello dei titoli nella sezione A di questa attività.

Here are some more photos of Italian families. Create suitable headlines and subtitles for each photo, in the same style as those in step A of this activity. Write 10–12 words for each.

[handwritten near photo 1: Il Nonno con i nipoti. I bambini giocale con nonno allo campeggio]

1

[handwritten: La bella madre. La donna e la suprima figlia]

2

3

4

Attività 1.3

A

Cosa sapete della vita in famiglia in Italia?
Scrivete in italiano o nella vostra lingua tre cose
che già sapete.

*What do you know about family life in Italy?
Write down three things you already know about
it, in Italian or in your own language.*

*La famiglie media è
più esteso = extensive in Italia
con tre generazioni che vivono insieme in una casa. È abbastanza normale
per il giovani vivono con i loro genitori prima del matrimonio.*

B

Leggete il seguente testo. Basando le vostre
risposte sul testo, scrivete in italiano con parole
vostre un fatto importante per ogni elemento
indicato qui sotto.

*Read the text below. Basing your answers on
the text, write one important fact on each of the
elements listed below. Your answers should be in
Italian, in your own words.*

- I nonni. *vivono con la famiglia*
- I giovani. *rimano en la casa paterna
  sull di sposano.*
- I pasti. *la famiglia cenando insieme
  tutti giorni.*
- La famiglia media.
  è compusta da genitori e due figli.

La famiglia italiana

La famiglia italiana moderna è composta
da genitori e uno o due figli, raramente
da più di due figli. Il legame familiare è
ancora oggi molto forte. Tutta la famiglia
si riunisce ogni giorno, almeno a cena,
allo stesso tavolo. I nonni, specialmente
se sono vedovi, vivono spesso in casa con
uno dei figli e partecipano attivamente
alla vita familiare. I giovani, inoltre, vivono
spesso fino ai trent'anni con i propri
genitori e lasciano la casa paterna solo
quando si sposano. Infatti il fenomeno
dei trentenni non sposati e senza figli che
rimangono a vivere con i propri genitori
è più esteso in Italia che negli altri paesi
europei.

Vocabolario

il legame   *bond, link, ties*

riunirsi   *to get together*

inoltre   *besides, moreover*

infatti   *indeed*

Suggerimento

Making the most of writing opportunities

You will have many opportunities to write in Italian in L150 *Vivace*, providing you with plenty of practice to improve your writing. Some learners find writing a challenging task and shy away from it until an assignment comes round. However, many of the writing opportunities come in the shape of short writing exercises, which should make the task of doing a longer piece of writing less daunting when you come to it. In fact, the word lengths of writing tasks have been carefully staggered to build up to the required word counts for assignments, so that you should be well prepared to do them.

C

Dopo aver letto il testo sulla famiglia italiana moderna nella sezione B, scrivete in italiano una breve presentazione sulla tipica famiglia moderna nel vostro paese o nel paese in cui abitate. Cercate di utilizzare strutture e vocaboli presi dal testo. (30–40 parole)

After reading the text on the modern Italian family in step B, write 30–40 words in Italian about the typical modern family in your country or the country you live in. Try to use structures and words from the text.

Suggerimento

Expanding your vocabulary

Vivace will provide you with plenty of new words to expand your vocabulary. Acquiring vocabulary involves being exposed to new words, becoming familiar with them and using them, and to some extent these processes will take place naturally just by using the materials as directed. However, you can also take active steps to learn new words effectively and so build up your vocabulary. Here are some suggestions:

- Use the **context** to work out the meaning of a word or an expression you don't know, rather than rushing for the dictionary. Very often the context in which a word is used will enable you get some or all of its meaning, and you are more likely to remember it that way and use it correctly subsequently. Then check if your understanding was right by looking up the word or expression in a dictionary, whether a monolingual dictionary (Italian only) or a bilingual dictionary (Italian – English / your own language).

- Learn new words or expressions by **association**, grouping words or expressions according to their meaning. For instance, you can pair words by opposite meaning (e.g. *nascere/morire, arrivare/partire, facile/difficile*) or you can group words according to the function they perform (e.g. expressing intention: *penso* + infinitive, *spero* + infinitive).

- Learn words by **repeating** them or **writing them down**, drawing from both the audiovisual and print-based resources of this module and any other authentic material that interests you, such as songs, websites, newspaper articles or leaflets.

Choose whichever methods suit you best, but remember that one of the most efficient ways of increasing your vocabulary is to **use the words you learn actively.**

Here is something you can try now.

1   Read the text below (in *Attività 1.4A*), without using a dictionary. Then circle one word that you don't know in the text. Try and guess its meaning, or an approximation of its meaning.

2   Now check if you were right by looking up the word in a dictionary.

3   Think of ways you can use to remember this word, and to use it to expand your Italian vocabulary. For example, find its opposite, or a synonym, or other words from the same field. Think about how to keep a note of these words so that you can find them again when you do revision work on this unit.

Attività 1.4

A

Leggete il seguente testo e rispondete alle domande che seguono.

Read the following text and answer the questions which follow it.

Negli ultimi anni la famiglia italiana tradizionale ha subito molte trasformazioni, e ha lasciato il posto ad una varietà di altri tipi di famiglia: famiglie composte di una sola persona, coppie senza figli e famiglie con un solo genitore. Secondo un'indagine condotta dall'Eurispes, il modello familiare classico della coppia con figli rappresenta comunque la scelta del 72,4% delle trentenni italiane anche se, tra queste, il 9,3% ha formato una coppia senza figli. La coppia senza figli rappresenta un modello familiare in continuo aumento perché ci si sposa sempre più tardi, soprattutto a causa dell'inserimento della donna nel mondo del lavoro, che a volte significa anche rinunciare ai figli. Conciliare casa e lavoro ha sempre presentato per le donne un grande problema e la cura dei figli e della famiglia è ancora oggi difficile da conciliare con la vita professionale. La donna soffre spesso discriminazioni nell'ambiente lavorativo.

In Italia, il numero medio di figli per donna è sceso dal 2,42 del 1970 all'1,2 del 1999, anche se nel 2000 si è visto un incremento della natalità (543.039 nascite contro le 500.021 del 1999). Ci si sposa soprattutto al Sud (91,9% contro l'87,3% del Nord e l'86,3% del Centro), mentre la convivenza predomina al Centro (il 10% contro il 6,4% del Nord e il 3% del Sud), con il risultato che alla diminuzione del numero dei matrimoni (da 318.296 del 1988 a 276.570 del 1998) corrisponde una crescita del numero delle convivenze.

Per tanti che scelgono la via dell'unione, legalizzata o meno, quanti scelgono di essere single? La cifra totale dei single non sposati è alta, e divisa equamente tra celibi (840.000) e nubili (806.000).

(www.edscuola.it/archivio/statistiche/famiglia.html) [consultato l'8 dicembre 2009]

Vocabolario

subire   *to undergo*
Eurispes   *Italian research institute*
comunque   *(here:) however*
l'inserimento (*m.*)   *integration*
rinunciare a   *to give up (the idea of having)*
conciliare   *to reconcile*
scegliere   *to choose*

Cultura e società

Italian research institutes

The best known statistics research organisations in Italy are Istat, Censis and Eurispes.

Istat (*Istituto Nazionale di Statistica*) was created in 1926 to collect and organise essential data about the nation. One of its main activities is administering the national census. Istat publishes an annual report with an analysis of emerging issues in Italy and the *Annuario Statistico Italiano*, which contains the main statistical tables produced by Istat.

Censis (*Centro Studi Investimenti Sociali*) was founded as a social study and research institute in 1964. Based in Rome, it carries out studies in the area of socioeconomic policies and is one of the most prestigious national research institutes in social sciences and economics.

Eurispes (*ex Istituto di Studi Politici, Economici e Sociali*) is a private research institute with charitable status which has been operating in the field of political, economic and social research since 1982. It carries out research studies for businesses, public and private bodies and publishes an annual report called *Rapporto Italia*.

1   Which of these new types of families are mentioned in the text?

   (a)   children brought up by their grandparents   ☐

   (b)   single parent families   ☑

   (c)   people living on their own   ☑

   (d)   families with a stay-at-home father   ☐

   (e)   couples without children   ☑

2   Give one reason mentioned in the text why there are more couples without children these days. *diff of childcare for working mums*

3   In which part of Italy is marriage most common? *south*

You will have noticed from reading the text that **decimals** in Italian are separated from whole numerals using a comma (e.g. 72,4%, 9,3%), rather than the full stop used in English (e.g. 72.4%, 9.3%).

The word *virgola* (= 'comma') is used when saying decimal numbers, and **percentages** are expressed using the masculine definite article *il* or *l'* to agree with *per cento*:

   il settantadue virgola quattro per cento (= 72,4%)

   l'ottantasette virgola tre per cento (= 87,3%)

B

Leggete il testo un'altra volta e per ogni elemento sotto elencato, date un'informazione presa dal testo.

Read the text again and for each element listed below, give one piece of information taken from the text.

Esempio

le coppie senza figli

   → Il numero delle coppie senza figli aumenta.

1   il numero medio di figli per donna

2   la percentuale di coppie che si sposano

3   la percentuale di coppie che convivono

4   il numero di persone che scelgono di rimanere single

1) The number has dropped by

2) It is over 4f. higher tha over of Italy

3) loto in central Italy

C

Trovate nel testo delle parole o delle frasi con lo stesso significato di quelle qui sotto.

Find in the text words or phrases with the same meaning as those below.

1   aumento (*two possibilities*)   *[handwritten: incremento / la convivenza]*
2   è cambiata molto   *[handwritten: molto trasformazioni]*
3   scegliere di non avere figli   *[handwritten: ha finito]*
4   uomini non sposati   *[handwritten: celibi]*
5   donne non sposate   *[handwritten: nubili]*

The next group of activities contains texts about individual families, including your own, and contains some writing practice. At the same time you will focus on the use of *mio, tuo, suo, nostro, vostro, loro*, the possessive adjectives, and how to say 'the most / least'.

Attività 1.5

A

Leggete questi messaggi su un forum online. Segnate se le seguenti affermazioni sono vere o false. Per ogni affermazione falsa, scrivete la risposta corretta.

Read these posts on an online forum and mark whether the following statements are true or false. For each false statement, write the correct answer.

Vocabolario

l'asilo (*m.*)   *nursery school*
il/la badante   *carer, generally for old people*
meno male che...   *it's a good thing that...*

Ciao! Mi presento. Mi chiamo Giancarla, ho 43 anni e vivo a Salerno. Sono sposata con quattro figli. Il più grande, Vittorio, ha 14 anni, la seconda, Valentina, ha nove anni e poi ho due gemelli di cinque anni, un maschio e una femmina. Ho una sorella più grande, Mariangela, che abita a Milano. Ha 45 anni, è divorziata.

I miei genitori sono abbastanza autonomi, vivono da soli. In caso di bisogno i loro vicini gli danno una mano. I genitori di mio marito invece sono anziani, non stanno tanto bene, e hanno una badante romena. Meno male che la loro badante è brava, così non dobbiamo correre tutti i giorni a Napoli a trovarli.

Giancarla

Ciao, sono Chiara. Ho 58 anni. Abito a Varese. Sono sposata da 30 anni. Ho anche tre nipotini: un maschio e due femmine. Mia figlia Diana ha un bambino di due anni e mio figlio Marco ha due bambine, una di un anno e mezzo, e una di quattro anni. La più grande va all'asilo. Ho un fratello e una sorella: mio fratello abita a Monza con sua moglie, e fa il medico. Mia sorella è insegnante e abita a Genova. Mio marito invece ha due sorelle, la più piccola vive ancora con i suoi genitori, e la più grande abita a Roma con la sua compagna, si è trasferita cinque anni fa per lavoro.

I miei genitori sono morti alcuni anni fa, i genitori di mio marito abitano a Firenze, ma li vediamo spesso. O vengono loro a casa nostra, o andiamo noi a Firenze, dipende.

Chiara

		Vero	Falso
1	Chiara ha tre nipoti: due maschi e una femmina.	☐	☑
2	La figlia di Chiara ha due bambini e il figlio Marco ne ha solo uno.	☐	☑
3	Giancarla non ha nipoti.	☑	☐
4	Giancarla ha due maschi e due femmine.	☑	☐
5	Il figlio più grande di Giancarla si chiama Valentino.	☐	☑
6	Giancarla ha una sorella più grande che è sposata.	☐	☑
7	Chiara ha due fratelli.	☐	☑
8	Il marito di Chiara ha due sorelle.	☑	☐
9	La cognata più piccola di Chiara abita da sola.	☐	☑
10	La cognata più grande di Chiara abita a Roma.	☑	☐
11	I genitori di Giancarla hanno una badante.	☐	☑
12	I genitori di Chiara sono ancora vivi.	☐	☑

B

Cercate nel testo le forme dell'aggettivo possessivo ('mio', 'tuo', 'suo', ecc.).

Find the forms of the possessive adjective (mio, tuo, suo, etc.) in the text.

Esempio

I miei genitori, ...

C

Completate lo schema.

Complete the table.

SINGOLARE		PLURALE	
maschile	femminile	maschile	femminile
(il) mio	(la) mia	(i) miei	(le) mie
(il) tuo	(la) tua	(i) tuoi	(le) tue
(il) suo	(la) sua	(i) suoi	(le) sue
(il) nostro	(la) nostra	(i) nostri	(le) nostre
(il) vostro	(la) vostra	(i) vostri	(le) vostre
(il) loro	(la) loro	(i) loro	(le) loro

Lingua 1.2

Expressing belonging using *mio, tuo, suo...*

The forms of *mio, tuo, suo, nostro, vostro*, etc. agree in number (singular / plural) and gender (masculine / feminine) with the noun they refer to:

il **mio** ragazzo

i **miei** amici

la **mia** macchina

le **mie** scarpe

The exception to this rule is *loro* which is invariable. For example:

il **loro** fratellino (*their little brother*)

i **loro** amici (*their friends*)

la **loro** macchina (*their car*)

le **loro** case (*their houses*)

SINGOLARE				PLURALE			
maschile		femminile		maschile		femminile	
il mio	orologio	la mia	scuola	i miei	occhiali	le mie	vacanze
il tuo		la tua		i tuoi		le tue	
il suo		la sua		i suoi		le sue	
il nostro		la nostra		i nostri		le nostre	
il vostro		la vostra		i vostri		le vostre	
il loro		la loro		i loro		le loro	

As you learned in Lingua 1.1, these possessive adjectives are normally used with *il, la,* etc., except when talking about relatives in the singular: *mia madre, mio padre, mio cugino*. (Note that while *marito* is considered a relative, *fidanzato/a* and *ragazzo/a* are not.) In the plural, however, you always need to use the article: *i miei cugini, i miei genitori, i miei figli*.

G For further information, refer to your grammar book.

I miei parenti svizzeri

Attività 1.6

Completate le frasi con l'aggettivo possessivo adatto 'mio', 'tuo', 'suo', 'nostro', 'vostro', 'loro' con o senza l'articolo, 'il', 'la', ecc.

Complete the sentences with the correct form of possessive adjective mio, tuo, suo, nostro, vostro, loro, with or without the definite article il, la, etc., as appropriate.

1   Questa è mia sorella con _____ suo _____ marito e questi sono _l loro_ figli.

2   Questo è mio marito Enzo e questi sono _____ loro _____ figli.   X   , nostri

3   Ciao Paola e Marco! Che belle bambine! Sono _____ (e) tue figlie? x le vostre

4   Siamo andati a trovare _le nostre_ cugine che abitano a Bari.

5   Vittorio frequenta il liceo linguistico e lunedì ho parlato con _il suo_ insegnante.

6   Ho visto il mio amico Paolo con _la sua_ fidanzata.   la mia

7   Abbiamo due macchine. _la mia_ macchina è una Fiat 500.

8   Ciao Mara, come sta _~~la~~ tua_ madre?

Attività 1.7

Immaginate di scrivere una email al vostro nuovo corrispondente in cui gli raccontate della vostra famiglia, con i nomi, l'età e la professione dei vostri familiari, e gli fate domande sulla sua famiglia. (75–100 parole)

Imagine you are writing an email to your new correspondent telling him/her about your family, with the names, ages and professions of your relatives and asking questions about his/her family. (75–100 words)

> Both *una mail* and *un'email* (also a feminine noun) are used in Italian, as well as the spelling *e-mail*.

Attività 1.8

Vittorio, Giancarla's son, has a penfriend in a partner school in the UK, who is learning Italian. He writes to his penfriend telling him about some members of his family and where they live in Italy.

A

Leggete il testo qui sotto e sottolineate tutte le espressioni che significano 'the most' o 'the least'.

Read the text below and underline all the expressions meaning 'the most' or 'the least'.

Esempio

la città più popolosa

Ciao Alfie! Io mi chiamo Vittorio, ho 14 anni e abito a Salerno. Oggi vorrei raccontarti della mia famiglia che abita in diverse regioni dell'Italia. Mia nonna abita a Napoli, la città più popolosa d'Italia. Mia zia abita in Lombardia, la regione più popolata d'Italia. Sai qual è la regione più piccola d'Italia? È la Valle d'Aosta! La Valle d'Aosta è piccola, ma comprende il Monte Bianco, la montagna più alta d'Europa. Pensa che strano! Mio cugino abita in Sicilia, che è l'isola più grande del Mediterraneo. Ogni tanto andiamo a trovarlo, con il treno e poi il traghetto. Ci sono venti regioni in Italia, tu quante ne conosci?

Lingua 1.3

Il più grande, la meno costosa: expressing 'the most / least' in Italian

Italian expresses the idea of 'most' or 'least', by using *il, la, lo*, etc. followed by *più* or *meno* and the relevant adjective:

> La Cinquecento della Fiat è **la** macchina **più caratteristica** del ventesimo secolo.
> *The Fiat Cinquecento is the most characteristic car of the twentieth century.*

This is called the relative superlative since it measures someone or something in relation to others. Note that in these comparisons, Italian uses *di* (*del*, etc.) where English uses 'in' (e.g. *del mondo*: 'in the world').

> Pavarotti era **il** tenore **più famoso** del mondo.
> *Pavarotti was the most famous tenor in the world.*

> Flavia è **l'**amica **più cara** della mia vita.
> *Flavia is the dearest friend in my life.*

It is more common for *più / meno* and the adjective to come after the noun but they can also come before the noun.

> Pavarotti era **il più famoso** tenore del mondo.

> Flavia è **la più cara** amica della mia vita.

G For further information, refer to your grammar book.

B

Completate le domande con 'più' o 'meno' e rispondete poi alle domande se sapete la risposta giusta.

Complete the questions with più *or* meno, *then answer the questions if you know the correct answer.*

Esempio

Qual è _____ (regione / popolata) d'Italia?

Qual è la regione più popolata d'Italia?

La regione più popolata d'Italia è la Lombardia.

1   Qual è _____ (fiume / lungo) d'Italia?

2   Qual è _____ (università / antica) d'Italia?

3   Qual è _____ (città / grande) d'Italia?

4   Qual è _____ (monte / alto) d'Italia?

5   Qual è _____ (regione / piccola) d'Italia?

> **Quale**
>
> *Quale* ('which') can be used as an adjective (*quale gelato vuoi?*) or as a pronoun meaning 'which one', as above. Before *è* it can be abbreviated but not followed by an apostrophe.
>
> Qual è la regione più piccola? (**not** ~~Qual'è~~...)

The next few activities are about descriptions of family members. They include reading an informal letter containing colloquial expressions, and using *perché* and *siccome*.

Attività 1.9

Enzo, Giancarla's husband, has just received a letter from someone he hasn't seen in a long time.

A

Leggete la lettera di Andrea e individuate nel disegno alla prossima pagina le seguenti persone: Andrea, Mara, Mario, Silvia, Flavia, Gianni e Enzo.

Read Andrea's letter and identify the following people in the picture on the next page: Andrea, Mara, Mario, Silvia, Flavia, Gianni and Enzo.

Carissimo Enzo

Ma che fine hai fatto? È da un secolo che non ti fai sentire! Per fortuna ogni tanto in palestra incontro tuo cognato Franco che mi tiene al corrente di quello che combini! (È lui che mi ha raccontato che ti sei trasferito e mi ha dato il tuo nuovo indirizzo.) Mi ha anche detto che due settimane fa ti sei laureato. Beh, complimenti!

Io invece ho lasciato gli studi e mi sono dedicato ad altre cose. La più importante la vedi dalla foto. Ebbene sì, mi sono sposato. Io che ho sempre detto "Mai e poi mai!" Ma che vuoi fare, quando l'amore arriva... Comunque sono contentissimo. Mara è veramente una persona in gamba, e poi è bellissima.

Quelli accanto a me sono i miei suoceri (a proposito, Mario, mio suocero, è un vecchio amico di tuo padre!). La bambina davanti a mia sorella Silvia è sua figlia, Flavia. Incredibile, no? Anche mia sorella si è sposata! Suo marito non lo vedi perché è lui che ha fatto la foto. Con un po' di fantasia forse riesci anche a trovare mio fratello Gianni. Trovato? È quello con la barba dietro alla ragazza bionda (la sua compagna). Il bambino che lei ha in braccio è il loro secondo figlio, che tra l'altro si chiama come te.

Come vedi, qui ci sono tantissime novità e siccome non ti posso raccontare tutto per lettera ci devi venire a trovare.

Allora ti aspetto, anzi ti aspettiamo!

Andrea

P.S. Hai ancora la tua vecchia 500 o ti sei deciso a cambiare macchina?

Vocabolario

Combinare can be used in expressions such as:

Che cos'hai combinato?   *What have you done?*

Come sei combinato / combinata?!   *What a mess you're in!*

B

Quali espressioni usa Andrea nella lettera per dire le seguenti frasi?

What expressions does Andrea use in his letter to say the following phrases?

1   dove sei stato, perché non mi hai scritto?

2   È da tanto tempo che...

3   mi informa

4   quello che fai

5   hai cambiato casa

6   sono molto felice

7   una persona capace, brava

La famiglia di Andrea

C

Rileggete la lettera di Andrea e collegate ad ogni persona due delle seguenti frasi.

Read Andrea's letter again and match two of the following descriptions to each person.

1	Andrea	(a)	Porta la barba.
2	Franco	(b)	Si è laureato da poco.
3	Enzo	(c)	Ha sposato la sorella di Enzo.
4	Mara	(d)	Ha due figli.
5	Gianni	(e)	Qualche volta va in palestra.
		(f)	Non ha finito gli studi.
		(g)	Ha sposato Andrea.
		(h)	È andato a vivere in un'altra città.
		(i)	Non ha notizie dell'amico da molto tempo.
		(j)	È una persona in gamba.

Lingua 1.4

Using *perché* and *siccome*

Andrea uses both *perché* and *siccome* in his letter. These conjunctions ('connecting words') meaning 'since' and 'because' are used in slightly different ways and in different positions.

A reason introduced by *siccome* (= since) comes before the main statement:

> **Siccome** devo lavorare (*reason*), resto a casa (*main statement*).

A reason introduced by *perché* (= because) comes after the main statement:

> Resto a casa (*main statement*) **perché** devo lavorare (*reason*).

Attività 1.10

Collegate le due frasi utilizzando 'perché' o 'siccome' e mettendole nell'ordine giusto.

Join the two halves of the sentence together using either perché *or* siccome *and adjusting the word order as appropriate.*

1   Tutti i lunedì mi alzo presto. Devo prendere il primo treno.

2   Mi sono alzata presto. Dovevo prendere l'aereo.

3   Sei più giovane di me. Ti stanchi di meno.

4   Mi sposo quest'estate. Voglio prendere le ferie nel mese di luglio.

The next two activities involve talking about past events using reflexive verbs and writing an informal letter yourself.

Attività 1.11

Nella lettera di Andrea (Attività 1.9A) ci sono alcuni verbi riflessivi al passato prossimo. Cercateli e scrivete le forme usate da Andrea accanto all'infinito adatto.

In Andrea's letter (Attività 1.9A) there are some reflexive verbs in the perfect tense. Find them in the text and write the forms used by Andrea next to the appropriate infinitive verb shown below.

Esempio

prepararsi   *si è preparato*

1   trasferirsi   *ti sei trasferito*

2   laurearsi   *ti sei laureato*

3   dedicarsi   *mi sono dedicato*

4   sposarsi   *mi sono sposato*

5   decidersi   *ti sei deciso*

Lingua 1.5

Mi sono alzato: using the perfect tense of reflexive verbs

Look at the sentence below, which means 'Federica cut herself while opening a bottle of sparkling wine', and uses the reflexive verb *tagliarsi* (to cut oneself):

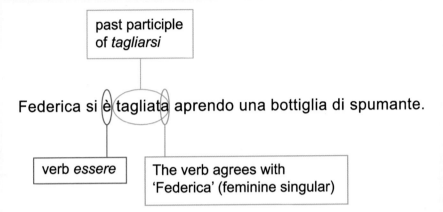

In the perfect tense (*passato prossimo*), reflexive verbs such as *laurearsi, svegliarsi, alzarsi, vestirsi* use the verb *essere*:

> Mario si è laureato l'anno scorso.
> *Mario graduated last year.*

The past participle agrees with the subject in number (singular / plural) and gender (masculine / feminine):

> Elisabetta si è laureata due anni fa.
> *Elisabetta graduated two years ago.*

> Mi sono svegliata alle 6.00.
> *I woke up at 6.00.*

> Ieri i miei figli si sono alzati alle 11.00.
> *Yesterday my children got up at 11.00.*

> Le mie amiche si sono vestite per andare alla festa.
> *My friends got dressed to go to the party.*

Attività 1.12

Immaginate di mandare a un amico/un'amica che non vedete da molto tempo una foto attuale della vostra famiglia. Descrivetela e raccontate che cosa è cambiato negli ultimi tempi per voi e per la vostra famiglia. Potete anche inventare tutti i particolari se preferite. Cercate di usare alcuni verbi riflessivi. (100–150 parole)

Imagine you are sending a friend you haven't seen for a long time an up to date photo of your family. Describe the photo and tell him or her what has happened over the last few years to yourself and your family. You can make up whatever details you like if you prefer. Try and use some reflexive verbs. (100–150 words)

Potete iniziare così:

> Cara Giorgia
>
> È tanto che non ci vediamo ma ti ricordo sempre…

Lingua 1.6

Writing an informal letter or email

Even when writing an informal letter to a friend or family, opening and closing greetings have to be appropriate and this depends on your level of friendship. Here are some of the most common greetings, in increasing order of 'friendliness'!

Opening greetings	Closing greetings
Caro/a + *name of person*	Cari saluti
Caro/a + *name of person* Ciao	Ciao Con affetto
Carissimo/a + *name of person*	Un abbraccio Baci Bacioni

If expecting to see your friend soon, you can add *A presto!* in addition to the closing greeting.

Suggerimento

Noting down new structures

Each unit will teach you new language structures. Once you have learnt a new structure, such as the *passato prossimo* (perfect tense) of reflexive verbs, for example, you will probably start spotting more examples of it in the *Vivace* books or other Italian materials. We recommend you make a note of them, whether in a notebook, on an index card or computer file, and file them under 'Reflexive verbs' or '*Passato prossimo*', for instance. Having a collection of such examples will be a useful way of building up your grasp of grammar structures.

The following group of activities looks at religion, traditions and ceremonies in Italian society, in particular the celebration of birth, marriage and death.

Attività 1.13

Leggete questo breve testo e rispondete alle domande.

Read this short text and answer the questions.

Il matrimonio: uso e costumi

Il matrimonio è ancora oggi una festa speciale, ricca di tradizioni antiche e abitudini più recenti. Secondo la tradizione l'abito da sposa deve essere lungo e bianco, ma oggi si accettano anche abiti corti e tinte pastello. Una volta erano la mamma e la nonna a scegliere il corredo e addirittura a realizzarne una parte personalmente. Oggi è la sposa stessa, negli ultimi mesi prima del matrimonio, a scegliere i capi (lenzuola, coperte, tovaglie) in modo da adattarli meglio alla nuova casa. Un'altra tradizione molto diffusa è quella di donare a tutti gli invitati, in ricordo del "grande giorno" la cosiddetta bomboniera, a cui viene legato un sacchettino contenente solitamente cinque confetti (mandorle zuccherate bianche).

Vocabolario

addirittura   *even*

cosiddetto/a   *so-called*

i capi   *articles, items (of clothing)*

1   Com'è l'abito da sposa oggigiorno?

2   Che cos'è il 'corredo'?

3   Chi prepara il corredo?

4   Che cos'è la 'bomboniera'? Fate una ricerca in internet e trovate degli esempi.

Cultura e società

Marking family events

Family celebrations are marked in Italy by the distribution of *bomboniere* or 'favours', usually in the form of an ornament containing a little tulle or lace bag with sugared almonds (*i confetti*) which are traditionally white for a wedding (*il matrimonio*), and blue or pink for the birth of a baby or a christening (*il battesimo*). They are also given out at first communion (*la prima comunione*), at graduation (*la cerimonia di laurea*) and wedding anniversaries (*l'anniversario di matrimonio*).

The *bomboniere* given when a baby is born range from tiny china baby shoes to silver religious ornaments or just plain tulle or lace bags with confetti (white, blue or pink) and a card (*il bigliettino*) with the baby's details inside and perhaps the words *Eccomi!* ('Here I am!') on the front.

In Italy, the arrival of a new baby is often announced to the neighbourhood by a ribbon rosette (*un fiocco*) on the door or gate of the apartment or apartment block with the name and date of birth attached.

As well as obituaries in local or national newspapers, in many areas of Italy you will see a funeral notice (*un annuncio funebre*) on walls or pillars in the local area, for neighbours and friends to see. In Naples, these posters often carry the nickname, or name by which the person was known in the local community.

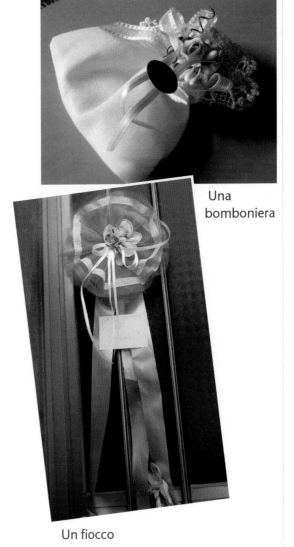

Una bomboniera

Un fiocco

Attività 1.14

A

Leggete il seguente testo e rispondete alle domande in italiano con parole vostre.

Read the following text and answer the questions in Italian in your own words.

1   Perché molti sposi preparano una lista di nozze?

2   Anche nel vostro paese c'è l'usanza di esporre i regali di matrimonio?

Regali di nozze

Anche in Italia si è ormai diffusa l'abitudine di preparare una lista di nozze in negozi scelti dagli sposi. Così si evita di ricevere regali doppi o sgraditi. In alcune regioni si usa ancora esporre, in casa della sposa, i regali accompagnati dal biglietto del donatore. Oggi è anche possibile aprire una lista di nozze in un'agenzia di viaggi, così gli sposi possono farsi regalare, da parenti e amici, una luna di miele indimenticabile.

Vocabolario

si usa esporre   *it's customary to display*

si evita   *one avoids*

Si impersonale (impersonal *si*) expresses the English 'one' or the impersonal 'it' and is used with a singular verb. It is a useful way of making generalisations where there is no named subject or person carrying out the action.

> La domenica **si va** in chiesa.
> *On Sundays people go to church.*

B

Trovate nel testo le parole o frasi che sono sinonimi delle frasi qui sotto.

Find in the text the words or phrases that are synonyms of the phrases shown below.

1   Ora l'usanza è diventata più comune.

2   elenco dei regali desiderati

3   le due persone che si sposano

4   regali che non piacciono

5   mettere in mostra

6   la persona che fa un regalo

Cultura e società

Religion and tradition

While Catholicism is the predominant religion in Italy, it has no special status in the Italian constitution and other religions are free to coexist. Figures show that in total 2.12% of Italian citizens belong to religious minorities, with the most numerically significant minorities being Protestant (*protestanti*) 409,000, Jehovah's Witnesses (*testimoni di Geova*) 400,000, Buddhist (*buddisti*) 107,000, Orthodox (*ortodossi*) 57,500, Muslim (*musulmani*) 40,000, Jewish (*ebrei*) 29,000 and Hindu (*induisti*) 18,000. These figures would increase if extended to cover non-Italian citizens; for example, immigration from Romania means there are almost a million followers of the Orthodox Church in Italy. There are no reliable figures on the number of atheists in Italy, but there is an active atheist body, the *Unione degli Atei e degli Agnostici Razionalisti* (UAAR).

According to surveys, 96% of Italy's population declare themselves Catholic (*cattolici*). Many people take part in religious ceremonies such as first communion and marriage in a church even though they are not practising Catholics (*praticanti*).

(Dati presi da www.cesnur.org/religioni_italia/introduzione_01.htm) [consultato il 10 gennaio 2010]

Attività 1.15 _____

A

Leggete il testo qui sotto e trovate le seguenti espressioni o parole nel testo.

Read the text below and then find the following phrases or words in the text.

1 (Paragraph 1) The phrases used to refer to the two types of marriage mentioned.

2 (Paragraph 2) Two expressions / words for marriage coming to an end.

3 (Paragraphs 2 and 3) Four words referring to spouses (separately or as couples).

4 The three words or phrases in the text used to express 'to get married'.

Matrimoni in Italia

Il matrimonio italiano sta cambiando. Secondo un'indagine ISTAT, che non comprende dati relativi a matrimoni religiosi non cattolici, nel 2008 sono stati registrati 246.613 matrimoni, contando sia i matrimoni civili che quelli celebrati in chiesa. Il numero dei matrimoni è quindi in declino, comparato con i 419.000 sì detti nel 1972.

Di pari passo con la riduzione del numero di matrimoni va l'aumento delle separazioni legali e dei divorzi. I dati relativi al 2007 segnano un incremento dell'1,2 % nelle separazioni e del 2,3 % nei divorzi rispetto al 2006. Dall'indagine ISTAT effettuata nel 2007 emergono altri dati interessanti: l'età media dei coniugi quando si separano è di 44 anni per lui e 41 anni per lei. Moglie e marito a quel punto sono stati sposati per una durata media di 14 anni. Il divorzio arriva in media tre anni dopo.

Cambia anche il rito scelto per il matrimonio. Sempre più coppie scelgono di non sposarsi in chiesa. Secondo i dati più recenti un matrimonio su tre viene celebrato davanti al sindaco o altra autorità civile (nel 2008 il 36,7% dei matrimoni è stato celebrato con rito civile contro il 63,3% celebrato con il rito religioso).

Il numero di matrimoni civili è in costante crescita e viene attribuito all'incremento dei matrimoni misti e dei secondi matrimoni. Nel 15% delle coppie sposatesi nel 2008 uno degli sposi non aveva la cittadinanza italiana, e nel 5% dei casi entrambi gli sposi erano stranieri. Inoltre almeno per il 13,8 % dei matrimoni uno o addirittura entrambi gli sposi si sposavano per la seconda volta.

Per quanto riguarda le coppie di fatto, non sono disponibili cifre precise. Il riconoscimento delle unioni di fatto e, implicitamente, delle unioni omosessuali, esiste in tutti i paesi europei eccetto la Grecia e l'Italia.

(Testo adattato da 'Il Matrimonio in Italia, Anno 2008', rapporto ISTAT pubblicato 8 aprile 2010. www.istat.it) [consultato il 27 aprile 2010]

B

Scegliete una frase o espressione da ogni paragrafo che ne riassume le informazioni principali.

Choose one sentence or phrase from each paragraph to summarise the main information given in it.

C

Ora riflettete su quello che avete letto. Confrontate le informazioni sul matrimonio in Italia contenute nel testo con le tendenze attuali nel vostro paese. Nel paese in cui vivete o nel vostro paese d'origine le unioni di fatto sono riconosciute legalmente? Scrivete degli appunti, se volete, possibilmente in italiano.

Now reflect on what you have read. Compare the information given in the text about marriage in Italy with current tendencies in marriage in your own country. Are civil partnerships recognised where you live or where you come from? Write some notes if you wish, if possible in Italian.

Attività 1.16

Secondo voi, dove si trovano gli annunci qui a fianco?

Where do you think the flyers on the right would be found?

1   In chiesa.

2   Vicino al ristorante dove si fa il pranzo.

3   Vicino alla chiesa dove si sposano.

4   Su un invito al matrimonio.

5   Su un biglietto di auguri per il matrimonio.

Attività 1.17

Descrivete la vostra famiglia e dite se secondo voi la tipologia della famiglia tipica nel vostro paese è cambiata. Potete anche descrivere una famiglia immaginaria se preferite non descrivere la vostra famiglia. (100–150 parole)

Describe your own family and say if you think the composition of the typical family in your country has changed. You can write about an imaginary family rather than about your own if you prefer. (100–150 words)

Bilancio

Key phrases

Vivi da solo o con la tua famiglia?

Hai / Ha sorelle / fratelli?

Io sono figlio unico / figlia unica.

Sei / È il/la più giovane?

Sei / È sposato/a?

Quante persone siete in famiglia?

Ma che fine hai fatto?

È da un secolo che non ti fai sentire.

Io mi sono sposato/a.

I miei si sono trasferiti.

Lui / Lei si è laureato/a in matematica.

Quello accanto a me è mio fratello.

La bambina davanti a me è mia nipote.

Here are some ideas and suggestions on how to organise what you have studied in this unit. You may wish to do all the activities or to select those that are particularly relevant to you in reinforcing your learning.

Memorising keywords and structures

To note down and memorise the keywords from this unit, try the following activities.

1   Sketch a family tree, or list as many family members as possible. Under each name, write who the person is in relation to you (e.g. John: *mio marito*; Sarah: *mia madre*; etc.).

2   Write sentences about your family using *il/la più/meno* and at least ten adjectives (e.g. *La più piccola è ...*)

3   Complete this verb table to memorise how to form reflexive verbs in the *passato prossimo*.

(io)	mi sono alzato/a
(tu)	ti ...
(lui)	
(lei / Lei)	
(noi)	
(voi)	
(loro)	

Identify the reflexive verbs in the *passato prossimo* in this text.

Venerdì dovevo andare a casa di Gianna. Purtroppo non sono riuscito ad andarci. Ci siamo accordati per sabato mattina ma mi sono alzato tardi. Poi sono andato a vedere la partita di calcio. È stata bellissima. La mia squadra del cuore ha vinto.

Per festeggiare sono uscito con un mio amico e sono rientrato a mezzanotte e mezza. Ci siamo divertiti da pazzi.

Try taking an article or two from an Italian newspaper and doing the same, i.e. finding all the instances of reflexive verbs in the *passato prossimo*.

Cultura e società

What features of life in Italy have you found out about in this unit?

What did you notice about families and family life in Italy? How is it changing?

What did you notice about the link between religion and society in Italy? Is it different in your own country?

To what extent do these points differ from how things are where you come from?

4 Continue the following mind map on family and religious celebrations.

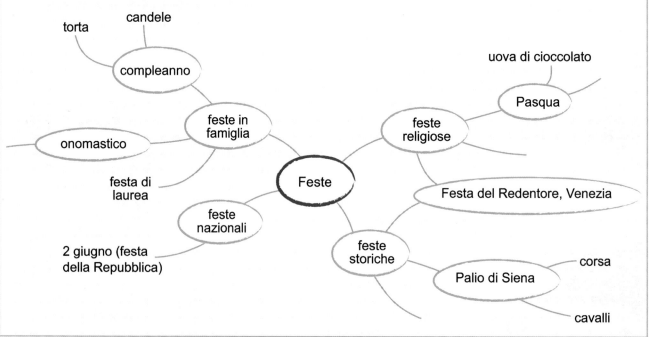

Da piccola

In this unit several people talk about their childhood, sharing fond memories of pets and childhood friends, remembering their first day at school and telling of a favourite holiday at the seaside. You will learn useful words and structures for talking about the past, and will practise writing about your own memories.

Key learning points

- Talking about the past and about childhood memories
- Using -*issimo*
- The possessive adjective *proprio*
- Forming and using the imperfect tense
- Whether to use the imperfect or perfect tense
- Uses of *ci*

Culture and society

- The Italian seaside: *bagni* and *lidi*
- Natalia Ginzburg
- Dacia Maraini

Overview of *Unità 2*

Attività	Themes and language practised
2.1–2.4	Describing people, possessions and pets that you can remember from your childhood; using -*issimo* (*bellissimo*, *importantissimo*); the possessive adjective *proprio*.
2.5–2.9	Remembering one's schooldays; describing past situations and recurring events using the imperfect tense.
2.10–2.12	Reading and writing about past holidays using the imperfect and the perfect tenses; the Italian seaside.
2.13–2.15	A literary interview about a writer's childhood; talking about the past subjectively; writing about your own past; uses of *ci*.
2.16	Writing about childhood memories.
Bilancio	Check your progress; further study tips.

The first group of activities is about objects, animals and people you remember from your childhood, and how to describe them.

Attività 2.1

A

Nei fumetti qui a fianco, alcune persone parlano di un oggetto o animale preferito della loro infanzia. Chi dice cosa?

In the speech bubbles alongside, several people talk about a treasured possession or pet they had as a child. Who says what?

1   I had a cat.

2   I had my own bicycle.

3   I had a canary.

4   I had a teddy bear.

5   I had a doll.

Quando ero piccolo, avevo un canarino. Era bellissimo.

ALESSANDRO

Quando ero giovane, avevo un gatto. Era simpaticissimo.

LAURA

Quando ero bambina, avevo un orsacchiotto. Era morbidissimo.

ANNA

Quando io e le mie sorelle eravamo piccole, ognuna di noi aveva la propria bicicletta. La mia era velocissima!

ROBERTA

Quando ero bambino, avevo una bambola. Si chiamava Rosa, come mia cugina.

SANDRO

Lingua 2.1

Using -issimo

The speech bubbles in the previous activity contained sentences with adjectives ending in -issimo/a:

> Quando ero piccolo, avevo un canarino. Era **bellissimo**.

This form of the adjective is used to indicate the highest degree of a quality ('the most') without a comparison being made with other people or objects. It is formed by removing the -o or –e ending of an adjective and by adding -issimo:

> bello → bellissimo

> importante → importantissimo

Because this superlative adjective doesn't involve a comparison it is often called the 'absolute superlative'. Like all adjectives ending in -o/a, the ending has to agree with the object or person in gender and number:

> una bellissim**a** cas**a**
> *a very / most beautiful house*

> **degli** esam**i** importantissim**i**
> *(some) extremely important exams*

Four common adjectives (*buono, cattivo, grande, piccolo*) have both the regular form of superlative and their own distinct superlative form:

> buono → buonissimo / ottimo

> cattivo → cattivissimo / pessimo

> grande → grandissimo / massimo

> piccolo → piccolissimo / minimo

The regular form tends to refer to **physical qualities** (the quality of food, behaviour, physical size):

> Questo tiramisù è **buonissimo**, posso prenderne ancora?
> *This tiramisu is very good, can I have some more?*

> La casa di Anna è **grandissima**.
> *Anna's house is very big.*

while the irregular form is usually used to refer to **abstract qualities**:

> È un'**ottima** idea!
> *That's an excellent idea!*

Adverbs can also form a superlative with –issimo:

> velocemente → **velocissimamente**

> presto → **prestissimo**

> bene → **benissimo**

Molto or *tanto* can of course also be used for adding emphasis to an adjective or adverb instead:

> Questo tiramisù è **molto buono**.
> *This tiramisu is very good.*

> Mi trovo **tanto bene** in Italia.
> *I really like being in Italy.*

G For further information on superlatives, refer to your grammar book.

B

Scrivete cinque frasi riguardanti oggetti o persone della vostra infanzia usando il superlativo assoluto dei seguenti aggettivi. Seguite l'esempio delle frasi nella sezione A.

Write five sentences about objects and people from your own childhood using the absolute superlative of the adjectives below. Use the sentences in step A as examples.

> gentile • simpatico • maleducato • intelligente • affettuoso

Lingua 2.2

The possessive adjective *proprio*

You're already familiar with *mio, tuo, suo, nostro, vostro, loro* (possessive adjectives). *Proprio* is used to express belonging (= one's own) when the subject of the sentence is a general category of people rather than a named person:

> Nel parco i proprietari dei cani sono responsabili dei **propri** animali.
> *Dog owners are responsible for their own animals in the park.*

It is often used with an indefinite pronoun such as *tutti, qualcuno, ognuno, nessuno* and impersonal *si*.

> Tutti amano la **propria** casa.
> *Everyone loves their own house.*

> Qualcuno pensa solo alla **propria** carriera.
> *Some people only think about their own career.*

> Quando io e le mie sorelle eravamo piccole, ognuna di noi aveva la **propria** bicicletta. La mia era velocissima!
> *When my sisters and I were small, we each had our own bicycle. Mine was very fast.*

> Nessuno ammette facilmente i **propri** difetti.
> *Nobody easily admits to their own faults.*

> A 18 anni, si comincia a pensare al **proprio** futuro.
> *At 18 years old, one starts to think about one's future.*

You will also come across *proprio* used in other ways.

Attività 2.2

'Suo' o 'proprio'? Completate le frasi con le forme corrette di 'suo' o 'proprio'.

Suo or *proprio*? Complete the sentences with the correct forms of *suo* or *proprio*.

1   Ognuno ha diritto alle _____ opinioni.

2   Susanna ha deciso di portare i dolci in ufficio per i _____ colleghi.

3   Nessuno vuole dividere la macchina. Tutti vogliono venire con la _____ macchina.

4   La mia amica inglese vede i _____ figli solo una volta all'anno.

5   La gente parla perché ama sentire il suono della _____ voce.

Attività 2.3

A

Leggete il testo e sottolineate i nomi di animali che compaiono nel testo. Infine collegateli al disegno corrispondente, scrivendo i nomi sotto il disegno.

Read the text below, underline the names of animals in the text and link them to the corresponding drawing by writing the name under the drawing.

E i bambini ci chiedono di proteggere gli animali

Secondo l'Eurispes è cresciuta la coscienza 'animalista'. Il più amato il cane, il più temuto il serpente.

Secondo l'Eurispes quasi tutti i bambini vorrebbero avere un animale e, anche se l'animale preferito resta sempre il cane (a chiederlo è un bambino su cinque), molti si indirizzano su altre specie. Le femmine, più dei maschi, amano i gatti, al secondo posto nella classifica dell'Eurispes (14,2%). Seguono poi i cavalli, le tigri, gli uccelli, i leoni e i delfini.

A essere accontentati sono in molti: quasi tutti hanno o hanno avuto un animale in casa (81,7%). Cani e gatti in maggioranza, ma tra le quattro mura domestiche trovano ormai spazio anche tartarughe (14,5%), criceti (10,6%), conigli (4,8%). Solo un bambino su cinque non ha mai avuto un animale.

Ma non c'è solo l'avere. C'è anche l'essere. E potendo trasformarsi in un animale, un bambino su cinque vorrebbe essere un uccello e quasi uno su dieci un cane. L'8,8% vorrebbe essere un leone e l'8,2% un gatto. Seguono il delfino (6,8%), il ghepardo (4,4%) e il cavallo (4,1%). I maschi si identificano molto più delle femmine con animali 'forti' come il leone o il ghepardo, mentre le bambine vorrebbero essere un animale elegante come la farfalla.

Il serpente rimane l'animale più odiato dalla maggioranza dei bambini.

(Eurispes, da *La Repubblica*, 28.7.2000)

Vocabolario

la specie   *species. (Note that* specie *has the same form in the singular and plural:* una specie, due specie.*)*

(handwritten notes at top of page):
tu e Matt vi vestite troppo lontano i miei ... Carlo ed io ci incontriamo sotto si divertono molto ... Anna si alza

B

Rileggete il testo e rispondete alle domande.

Read the text again and answer the following questions.

1 Cosa rivela l'indagine dell'Eurispes?

2 Quale percentuale dei bambini intervistati vorrebbe avere un gatto?

3 Quale percentuale dei bambini intervistati non ha mai avuto un animale in casa?

4 Quali sono gli animali più richiesti?

5 Quali sono le differenze più significative fra i bambini e le bambine?

C

Caged songbirds (*i canarini*) are a common sight outside windows in Italy.

Ora riflettete brevemente su quello che avete letto riguardo agli italiani e gli animali domestici. C'è qualcosa che vi ha sorpreso? O qualcosa che è diverso da quello che vi aspettavate? Quali differenze notate rispetto al vostro paese? Scrivete alcuni commenti.

Now reflect briefly on what you have just read about Italians and their pets. Was there anything that surprised you? Or anything that was different from what you expected? How does pet ownership in Italy compare to your own country? Note down a few comments.

D

Leggete le seguenti frasi e rispondete alle domande che le seguono.

Read the following sentences and answer the questions below.

L'8,8% vorrebbe essere un leone.

L'81,7% degli italiani ha o ha avuto un animale in casa.

Il 23% degli italiani mangia fuori una volta alla settimana.

La maggior parte degli italiani ha cani e gatti.

Tre quarti dei giovani intervistati ricordano il loro primo giorno di scuola.

Un bambino su cinque non ha mai avuto un animale.

Due terzi delle famiglie portano gli animali in vacanza con sé.

Una bambina su due ha una bicicletta.

1 Is a percentage followed by a verb:

   (a) in the singular? ☐

   (b) in the plural? ☐

2 *La maggioranza, la maggior parte* (as well as *la minoranza*) are followed by a verb:

   (a) in the singular? ☐

   (b) in the plural? ☐

3   Fractions (two thirds, one quarter, etc.) are:

   (a) feminine? ☐

   (b) masculine? ☐

4   Proportions (one out of four, etc.) are:

   (a) always masculine? ☐

   (b) always feminine? ☐

   (c) masculine or feminine depending
      on the noun referred to? ☐

5   Based on the above, give an example in
   Italian for each of the following using a
   verb.

   (a) A percentage (e.g. ninety per cent).

   (b) A fraction (e.g. two thirds).

   (c) A proportion (e.g. two out of three).

Esempio

Un terzo dei bambini intervistati
vorrebbe avere un cavallo.

Attività 2.4

Quali sono i vantaggi e gli svantaggi di avere
degli animali domestici? Scrivete da 50 a 70
parole.

*What are the advantages and disadvantages of
keeping a pet? Write 50–70 words.*

Pets were already part of life in ancient Italy: 'Cave
canem' (Latin for 'Beware of the dog') mosaic,
Pompeii.

The following activities deal with memories of
schooldays and include new vocabulary relating
to schools in Italy and how to use the imperfect
tense for describing past situations and talking
about regular actions or events in the past.

Attività 2.5

A

Leggete il seguente testo e scegliete quale frase
lo riassume meglio.

*Read the following text and select the sentence
that best summarises it.*

Ricordi di scuola

Mi ricordo che all'asilo non volevo
staccarmi da mia madre e piangevo,
piangevo... avevo un grembiule color blu.

Mi ricordo che avevo tanta paura... La
maestra assomigliava alla strega delle favole.
Stavo in braccio a mia madre e urlavo come
una disperata. Tutti mi guardavano e più mi
guardavano più gridavo...

Mi ricordo anche il mio primo giorno di
scuola elementare. Il sole filtrava dal vetro
della finestra, e mia mamma mi salutava dal
cortile.

La mia aula era tappezzata da cartelli con
le lettere dell'alfabeto. C'era anche un
cartellone con le nostre foto. Io e gli altri
miei compagni di classe stavamo zitti,
mentre la maestra ci parlava...

Mi ricordo che ogni mattina bevevamo il
latte caldo. Poi facevamo varie attività fino
all'ora di pranzo e poi venivano le mamme a
prenderci e andavamo tutti a casa.

Ero felice di conoscere nuovi amici, era
proprio una bella giornata, un ricordo
bellissimo emozionante.

1 Una bambina descrive i primi giorni all'asilo.

2 Una bambina descrive i primi giorni alla scuola elementare.

3 Una bambina descrive i primi giorni all'asilo e alla scuola elementare.

B

Trovate nel testo le parole che corrispondono alle seguenti traduzioni.

Find the words in the text that match the translations below.

1 nursery school

2 primary school

3 classroom

4 overall worn by pupils

5 (school) playground, schoolyard

6 school friends

7 female school teacher

C

Secondo voi perché i bambini portano i grembiuli nelle scuole italiane? Nel vostro paese gli alunni portano la divisa? A vostro parere è una buona idea? Scrivete le vostre riflessioni in italiano.

What do you think is the function of the grembiule *in Italian schools? Do school pupils wear a uniform in your own country? Do you think it is a good idea? Note down your reflections in Italian.*

Attività 2.6

A

Rileggete il testo 'Ricordi di scuola' e individuate tutte le forme verbali all'imperfetto. Poi scrivetele in una lista e accanto ad ogni forma scrivete la forma all'infinito del verbo.

Read the text 'Ricordi di scuola' again and find all the imperfect verb forms. Then make a list of them and write the infinitive form of the verb next to each.

Esempio

volevo   *volere*

Lingua 2.3

Forming the imperfect tense

Regular verbs ending in *-are*, *-ere* and *-ire* have the following patterns:

	PARLARE	VIVERE	DORMIRE
(io)	parlavo	vivevo	dormivo
(tu)	parlavi	vivevi	dormivi
(lui, lei, Lei)	parlava	viveva	dormiva
(noi)	parlavamo	vivevamo	dormivamo
(voi)	parlavate	vivevate	dormivate
(loro)	parlavano	vivevano	dormivano

Irregular imperfect forms

Essere has a slightly irregular form in the imperfect tense, as you can see in the table below. In the case of *fare*, *bere* and *dire*, the imperfect form is based on an older form of the verb (*facere*, *bevere*, *dicere*) but the endings follow the same pattern as those of other verbs.

	ESSERE	FARE	BERE	DIRE
(io)	ero	facevo	bevevo	dicevo
(tu)	eri	facevi	bevevi	dicevi
(lui, lei, Lei)	era	faceva	beveva	diceva
(noi)	eravamo	facevamo	bevevamo	dicevamo
(voi)	eravate	facevate	bevevate	dicevate
(loro)	erano	facevano	bevevano	dicevano

G If you want to check other irregular forms of the imperfect, refer to your grammar book.

B

Completate la tabella con le forme mancanti dell'imperfetto.

Complete the table with the missing forms of the imperfect tense.

	io	tu	lui, lei, Lei	noi	voi	loro
GIOCARE		giocavi				
STUDIARE				studiavamo		
SVEGLIARSI					vi svegliavate	
VEDERE	vedevo					
CAPIRE						capivano
PARTIRE			partiva			
ESSERE				eravamo		

Attività 2.7

Completate il testo con le forme all'imperfetto dei verbi dati tra parentesi. Trovate la prima risposta come esempio.

Complete the text with the imperfect form of the verb shown in brackets. The first answer has been done for you.

Da piccola (trascorrere) *trascorrevo* molto tempo a casa dei miei nonni. Mi (piacere) _____ tanto stare da loro, forse perché (abitare) _____ in una grande casa in campagna. Quasi ogni fine settimana (dormire) _____ da loro. La domenica mattina mia nonna (alzarsi) _____ presto e (andare) _____ in chiesa, poi (tornare) _____ a casa e (cominciare) _____ a preparare il pranzo. Allora io (alzarsi) _____ e (andare) _____ in cucina a fare colazione. (Amare) _____ stare lì e guardare come mia nonna (preparare) _____ la pasta fatta in casa. Ogni tanto (venire) _____ anche una mia amichetta.

Lingua 2.4

Using the imperfect tense

The text *Ricordi di scuola* contained several sentences in which the imperfect is used in the following ways:

- To describe a state or condition when talking about the past:

  Mi ricordo che **avevo** tanta paura.
  I remember being so frightened.

  La mia aula **era** tappezzata da cartelli.
  My classroom was covered in posters.

- To talk about an action or event that occurred regularly in the past:

  Mi ricordo che la mattina **bevevamo** il latte caldo. Poi **facevamo** varie attività.
  I remember that in the morning we drank hot milk. Then we did various activities.

The imperfect is also used to talk about an action which was never completed (in other words 'imperfect'), often because something else happened to stop it being completed.

Vocabolario   ogni tanto   *every so often*

Parlavamo con i nostri amici quando è arrivato il maestro. *We were talking with our friends when the teacher arrived.*

Stavo studiando quando mi hai chiamato. *I was studying when you called me.*

Attività 2.8

Completate le frasi con una delle seguenti espressioni di tempo e di frequenza.

Fill in the gaps using one of the following phrases of time or frequency.

> qualche volta • tutte le sere • di solito • ogni tanto • un giorno • sempre • ogni giorno • tutti gli anni • un anno • quella sera

1 _____ arrivavo a scuola alle 8.00 ma _____ sono arrivata alle 8.30 e la maestra mi ha fatto una scenata.

2 Da ragazzo arrivavo a casa _____ tardi la sera e _____ mia madre si arrabbiava.

3 _____ facevamo le vacanze in Italia da mia nonna ma _____ siamo rimasti a casa.

4 Quasi _____ mio padre comprava *La Gazzetta dello Sport* ma _____ comprava *La Repubblica*.

5 _____ il mio fidanzato beveva il vino rosso ma _____ ha bevuto solo acqua.

Attività 2.9

Vi ricordate il vostro compagno di scuola preferito o la vostra amica del cuore? Scrivete i vostri ricordi di lui o di lei o di altri bambini o ragazzi di cui vi ricordate dai tempi della scuola, rispondendo a tutte le domande qui sotto. (70–90 parole)

Can you remember your favourite classmate or best friend at school? Write down your memories of him or her, or of any other children you can remember from your schooldays, making sure you include the answers to all the questions below. (70–90 words)

> Dove vivevate?
>
> Come si chiamava la vostra scuola?
>
> Avevate un amico/a?
>
> Come si chiamava?
>
> Com'era?

> Note that both *ricordare qualcosa / qualcuno* and *ricordarsi (di) qualcosa / qualcuno* can be used meaning 'to remember something / somebody'.

The next group of activities focuses on memories of childhood holidays. This will involve practising the imperfect tense and using it in combination with the perfect tense. The texts will also provide the necessary vocabulary for you to write about your own memories of holidays and the seaside.

Attività 2.10

A

Leggete i ricordi di Simone e poi rispondete alle domande che seguono.

Read Simone's recollections and then answer the questions below.

Ricordi delle vacanze

Quando penso all'estate, rivedo la città di mare dove andavamo sempre in vacanza. Ricordo come mi sembrava grande il mare. Frequentavamo sempre lo stesso lido, Bagno Aurora, e tutti gli anni ci vedevamo con le stesse famiglie! Solo una volta abbiamo cambiato posto – era il mese di agosto, non abbiamo trovato posto al 'nostro' lido e quindi abbiamo preso una cabina con gli ombrelloni al Bagno Conchiglia lì vicino.

Mi ricordo le giornate al mare quando giocavo insieme ai miei amici. Restavamo in spiaggia tutto il giorno. Quando eravamo piccoli, facevamo il bagno nel mare tutte le mattine. Normalmente a mezzogiorno prendevamo una focaccia o un panino al bar o mangiavamo i panini preparati da mia madre. Il pomeriggio verso le cinque mangiavamo il gelato.

Quando eravamo più grandi giocavamo a carte o ballavamo in uno spazio vicino alle cabine ascoltando musica dance... avevamo una piccola radio portatile! Una volta è arrivato il bagnino e ha fatto una scenata perché tenevamo la musica troppo alta e facevamo troppo rumore. Poi è arrivato anche mio padre e ci ha portato via la radio. Forse ha fatto bene!

E mi ricordo anche le vacanze in montagna in Valtellina dove passavamo le vacanze natalizie. Prima non c'era la televisione in casa. Accendevamo il fuoco nel caminetto e cantavamo i canti natalizi. La prima volta che è venuto il mio amico di scuola, che non sapeva sciare, si è rotto la gamba. Abbiamo passato un intero pomeriggio in ospedale!

Vocabolario

rivedere   *to see (again) (= remember, imagine)*
frequentare   *(here:) to go to*
vedersi con   *to meet up with, to see*
accendere   *to light*

1   Dove andava a fare il bagno Simone quando era piccolo?

2   Andava sempre al solito posto? Se rispondete di no, motivate la vostra scelta.

3   Perché una volta il bagnino ha fatto una scenata?

4   Cos'è successo quando è venuto in vacanza il suo amico di scuola?

B

Quante parole nuove avete imparato nel testo? Come si dicono le seguenti frasi in italiano?

How many new words did you learn from the text? How do you say the following phrases in Italian?

1 the beach
2 the equipped beach (paying beach)
3 the man who looks after the *bagno*
4 the place where you change into your swimming costume
5 the beach umbrellas
6 portable radio
7 Christmas carols

C

Completate le frasi prese dal testo con le espressioni di tempo o di frequenza mancanti.

Complete the sentences taken from the text with the missing expressions of time or frequency.

Simone racconta:

1 Mi ricordo le giornate al mare _____ giocavo insieme ai miei amici.
2 Frequentavamo sempre lo stesso lido e _____ ci vedevamo con le stesse famiglie.
3 Solo _____ abbiamo cambiato posto.
4 Restavamo in spiaggia _____.
5 _____ eravamo piccoli, facevamo il bagno nel mare _____.
6 _____ a mezzogiorno prendevamo un panino al bar.
7 _____ è arrivato il bagnino.
8 _____ non c'era la televisione in casa.
9 _____ che è venuto il mio amico di scuola, si è rotto la gamba.

D

Rileggete il testo, 'Ricordi delle vacanze', e individuate le forme di verbo usate per esprimere un'azione abituale e quelle usate per esprimere un'azione che ha avuto luogo una sola volta poi scrivetele qui di seguito.

Read the text 'Ricordi delle vacanze' one more time and identify the verb forms used for expressing a habitual action and those used for expressing an action that only took place once. Then complete the table below.

Action that took place regularly	Action that didn't take place regularly
andavamo	abbiamo cambiato

Lingua 2.5

Whether to use the perfect or imperfect tense

To refer to a **habitual** action in the past, use the imperfect:

> Quando **eravamo** piccoli, **facevamo** il bagno nel mare tutte le mattine.
> *When we were small, we swam (= used to swim) in the sea every morning.*

whereas to refer to a **one-off event** in the past, you need to use the perfect (*passato prossimo*):

> Quando **siamo andati** a Ischia l'estate scorsa, **abbiamo fatto** il bagno al chiaro di luna.
> *When we went to Ischia last summer, we had a swim in the moonlight.*

Similarly, if you are **describing a situation**, use the imperfect tense:

> Nel Novecento a Posillipo, al Vomero e a Chiaia, **c'erano** delle bellissime ville Liberty che **si affacciavano** sul Golfo di Napoli.
> *In the 20th century in Posillipo, at Vomero and Chiaia, there were beautiful Liberty style villas overlooking the Gulf of Naples.*

but if **relating an event in the past**, use the perfect tense:

> Nel primo Novecento le famiglie borghesi napoletane **hanno costruito** delle ville Liberty a Posillipo che si possono vedere ancora oggi.
> *In the early 20th century, bourgeois families from Naples built Liberty-style villas which can still be seen today.*

It's important to become familiar with the way the two tenses are used in Italian, by focusing on examples of their use and jotting them down. Tenses are used differently in different languages so you can't rely on English usage to decide which tense to use in Italian; for example, the English 'I went to the cinema' can be translated in two different ways, depending on whether the action is habitual or a one-off:

> Quando vivevo a Roma, **andavo** al cinema ogni settimana. (*imperfect tense*)
> *When I lived in Rome, I went to the cinema every week.*

> Ieri sera **sono andata** al cinema. (*perfect tense*)
> *I went to the cinema last night.*

Attività 2.11

A

Collegate ognuna delle frasi numerate da 1 fino a 5 con le frasi adatte contrassegnate con le lettere dalla (a) alla (e) e mettete i verbi al tempo giusto.

Match each of the sentences numbered 1 to 5 with the appropriate sentence labelled (a) to (e) and put the verbs in the correct tense.

Esempio

1–(c)

Carla andava sempre in vacanza con i genitori. Una volta invece *è partita* **con un gruppo di ragazzi.**

1 Carla andava sempre in vacanza con i genitori.

2 D'estate di solito prendevano in affitto un appartamento.

3 Il Natale lo passavamo a casa dei nonni.

4 Mio padre era sempre molto puntuale.

5 Ero molto brava a scuola.

(a) Solo una volta (prendere) un brutto voto.

(b) Solo una volta (arrivare) tardi.

(c) Una volta invece (partire) con un gruppo di ragazzi.

(d) Una volta però (venire) loro da noi.

(e) Una volta però (andare) in campeggio.

Suggerimento

Noting down vocabulary

The vocabulary you come across within exercises is often useful, high-frequency vocabulary, so you would do well to note down useful-looking words contained in the exercises, even if they are not the focal point of the exercise. Here, for instance, you will have been working out the correct form of the verbs, but you could also put the following items in your notes afterwards:

prendere in affitto   *to rent*

prendere un brutto voto   *to get a bad mark (= grade)*

partire   *means, in this context, 'to go on a trip' (but it can also mean 'to leave / depart')*

andare in campeggio   *to go camping*

You may want to include the English translation in your notes to remind yourself of a particular meaning, but you could also try writing down just the Italian and coming back to it a few days later to see if you can remember its meaning and translation.

B

Ora completate le frasi qui sotto. La prima parte della frase è già stata fatta.

Now complete the sentences below. The first half of the sentence has already been done.

1   La sera le mie zie giocavano a carte. Una volta _____ .

2   Io e mia sorella ci alzavamo sempre alle 8.00 di mattina. Una mattina _____ .

3   Venivi sempre a prendermi a scuola con la macchina. Una volta _____ .

Suggerimento

Remembering language structures

A good way to remember structures is to collect examples that relate to your own life or to well-known events, because the details and the context will already be impressed on your mind and therefore be more meaningful to you.

The most effective way of doing so is to gather a small set of your own examples and write the highlighted structure above the examples. You could produce something like this, for example, and memorise it:

> Using the imperfect tense to refer to a regular action and the perfect tense to refer to a one-off action:
>
> Quando i bambini <u>erano</u> piccoli, <u>passavamo</u> le vacanze sempre al mare in Calabria.
>
> Una volta invece <u>abbiamo fatto</u> un viaggio in Sudamerica.

You can also write down the examples given in the *Lingua* boxes or in the feedback of the activities, together with some useful information. For example, with the past tense you could note down the following questions to remind you which tense to use:

*   *Am I referring to a regular event in the past? (If so, use the imperfect tense)*

    Quando lavoravo a Londra, <u>prendevo</u> il treno ogni mattina alle 7.00.

*   *Am I referring to a one-off event in the past? (If so, use the perfect tense)*

    Una volta ho preso il treno alle 8.00 e <u>sono arrivata</u> al lavoro in ritardo.

Cultura e società

The Italian seaside: *bagni* and *lidi*

Although in Italy there are plenty of stretches of free beach (*spiaggia libera*), many people prefer the comforts of a paying bathing establishment, the *bagno* or *lido*, or to give it its full name, *lo stabilimento balneare*.

The *bagni* of Versilia, the stretch of Tuscan coast that runs alongside the *Alpi Apuane* (Apuan Alps), go back almost 200 years, to when noble Italian families first started to holiday in Forte dei Marmi.

CATANIA - Lido Plaia - Grande stabilimento balneare Spampinato

The first two establishments, Nereo and Dori, were set up in 1827, but it was the period between the end of the 19th century and the early decades of the 1900s that saw the greatest transformation of the beaches as a leisure facility. Certain comforts needed to be provided on the beach: an umbrella (*l'ombrellone*) to ward off the sun, deck chairs (*le sedie a sdraio*) and somewhere for ladies to change into their bathing costume with modesty, changing cabins (*le cabine*).

Although there were many hotels to accommodate visitors, people often preferred to rent a villa, since the average length of stay was a month.

During the same period, paying beaches sprung up in other seaside areas such as the *Riviera Romagnola* (Rimini, Riccione) and *Riviera Ligure* (Alassio, San Remo). A beach holiday was not only for the rich. Families from all levels of society considered the *vacanza al mare* a regular part of family life, whether they stayed in a hotel, a *pensione* (guesthouse), an apartment or a camp site. As today, those who preferred not to pay for a *spiaggia attrezzata* (equipped beach) could go to the *spiaggia libera* (free beach). Large

ITALIA

③ Rimini Riccione

① Alassio
San Remo
Forte dei Marmi
②

1 Riviera Ligure
2 Versilia
3 Riviera Romagnola

companies such as FIAT had holiday camps (*le colonie*), based on a model introduced by the Fascist government before the Second World War, where the children of workers could have a holiday at the seaside.

Attività 2.12

A

Leggete il testo e fate un elenco di tutte le cose che si possono prendere a noleggio e di tutte le attività che si possono fare al bagno o al lido.

Read the text and make a list of all the things you can rent and of all the things you can do at the bagno or lido.

In Italia lo stabilimento balneare (detto 'bagno' o 'lido') è una parte importante della classica vacanza al mare. Mentre gli inglesi in genere preferiscono le spiagge isolate e naturali, molti italiani preferiscono andare ad una spiaggia attrezzata dove trovano tutte le comodità di casa! Negli ultimi anni, alla sedia a sdraio e all'ombrellone si sono aggiunte altre cose, ad esempio il lettino. Il costo dell'abbonamento mensile va da 200 euro a 600 euro (nel 2010), secondo la stagione (bassa o alta), la località e le attrezzature dello stabilimento. Gli abbonamenti in prima fila (vicino al mare) costano di più.

Ovviamente ci deve essere la cabina dove ci si mette o ci si toglie il costume da bagno, la doccia calda, la doccia fredda e il WC. Alcuni stabilimenti offrono un campo giochi per i bambini o l'aquagym per gli adulti. Fra i vari 'extra' offerti oggigiorno dai bagni ci possono essere l'infermeria attrezzata, la pizzeria, il ristorante, la rete wireless, l'internet point e il miniclub. D'estate il bagno è proprio il centro della vita sociale della spiaggia, quindi di solito ha un bar, dove si può stare al fresco, prendere una bibita fredda o un gelato, magari un panino o uno spuntino per pranzo, e giocare a carte.

Il personaggio centrale del bagno è il bagnino. Oltre a garantire il servizio di salvataggio, deve anche gestire tutti i servizi del bagno.

Molti italiani frequentano la stessa spiaggia o lo stesso bagno da sempre e quindi le stesse famiglie si ritrovano ogni anno nello stesso posto. Cambiano le generazioni, i figli crescono ma il punto d'incontro non cambia!

Vocabolario

attrezzato,-a   *equipped, fitted out*

il lettino   *sun lounger*

l'abbonamento (m.)   *(monthly) pass*

ovviamente   *obviously*

gestire   *to manage, run*

B

Trovate nel testo i verbi che corrispondono ai sostantivi elencati qui sotto e vice-versa.

Find in the text the verbs which correspond to the nouns listed below and vice versa.

NOUN	VERB
	abbonarsi
	rinfrescarsi
	attrezzarsi
crescita	
gestione	

C

Preferite andare alla spiaggia libera o alla spiaggia attrezzata? Nel vostro paese ci sono delle spiagge attrezzate o solo spiagge libere? Rispondete in italiano in approssimativamente 75–100 parole.

Do you prefer to go to the free beach or the paying beach? In your country are there paying beaches or only free beaches? Answer in Italian in about 75–100 words.

The next section contains memories of childhood written by others, namely the writer Natalia Ginzburg interviewed by author Dacia Maraini. The text not only illustrates the use of the imperfect and perfect tenses in talking about the past but is a different type of text from those you have seen so far, in that it gives a subjective account of someone's life. You will then be able to use it as inspiration to write about your own childhood!

Attività 2.13

A

Leggete il testo poi indicate quali informazioni sull'infanzia di Natalia Ginzburg sono giuste e quali no segnando vero o falso.

Read the text and tick whether each statement about Natalia Ginzburg's childhood is true or false.

		Vero	Falso
1	Era molto spesso malata.	☐	☐
2	Suo padre si arrabbiava raramente.	☐	☐
3	Non ricorda molto della città dove è nata.	☐	☐
4	Ha lasciato Palermo quando aveva sette anni.	☐	☐
5	A scuola si annoiava molto.	☐	☐
6	Nel tempo libero andava volentieri in montagna.	☐	☐
7	Non ballava bene.	☐	☐
8	Leggeva e scriveva molto volentieri.	☐	☐

La scrittrice Dacia Maraini ha intervistato, nel corso della sua carriera, diversi personaggi noti. Le sue interviste sono state raccolte nel volume *E tu chi eri? 26 interviste sull'infanzia.* Qui di seguito trovate parte dell'intervista fatta alla scrittrice Natalia Ginzburg.

DACIA MARAINI   Ripensi con piacere alla tua infanzia?

NATALIA GINZBURG   Ci penso poco. Ma quando ci penso, lo faccio con piacere.

DACIA MARAINI   Hai avuto un'infanzia felice?

NATALIA GINZBURG   In un certo senso sì. La cosa che più mi tormentava era la sensazione di essere poco amata in famiglia. Mi ricordo che inventavo le malattie per attirare l'attenzione su di me. Volevo stare male e invece stavo sempre bene.

DACIA MARAINI   In che rapporti eri con i tuoi?

NATALIA GINZBURG   Avevo un padre severo che faceva delle tremende sfuriate. Poi c'erano le liti fra me e i miei fratelli. Le liti fra mio padre e mia madre (...).

DACIA MARAINI   Com'eri da bambina? Che carattere avevi?

NATALIA GINZBURG   Ero abbastanza allegra, ma non molto vivace, non molto loquace.

DACIA MARAINI   Eri una bambina chiusa?

NATALIA GINZBURG   Sì. (...)

DACIA MARAINI   Hai sempre vissuto a Torino durante l'infanzia?

NATALIA GINZBURG   No. Sono nata a Palermo. Ma di Palermo non ricordo niente. Sono andata via che avevo tre anni. I miei ricordi risalgono ai sette anni. (...)

DACIA MARAINI   Ti piaceva andare a scuola?

NATALIA GINZBURG   No. Proprio l'anno che sono andata a scuola sono cominciate le mie malinconie. Sentivo che le altre ragazze erano amiche fra loro. Mi sentivo esclusa.

DACIA MARAINI   Ti piaceva studiare?

NATALIA GINZBURG   No. Studiavo male. L'aritmetica per esempio non la capivo per niente. Ero brava in italiano. Facevo dei temi lunghi e molto accurati.

DACIA MARAINI   Cos'è che ti faceva soffrire di più nella scuola?

NATALIA GINZBURG   La noia. Mi ricordo una noia mortale. (...)

DACIA MARAINI   Quando non studiavi, cosa facevi? Dello sport?

NATALIA GINZBURG   No, odiavo lo sport. Mio padre mi costringeva a fare le scalate in montagna. Io ci andavo, ma a denti stretti. Ho finito con l'odiare ogni tipo di sport.

DACIA MARAINI   E allora cosa facevi?

NATALIA GINZBURG   Scrivevo. Fino a diciassette anni ho scritto poesie, poi racconti.

DACIA MARAINI   Non andavi mai al cinema, a ballare?

NATALIA GINZBURG   Sì andavo alle festicciole da ballo in casa di amici. Ballavo male, ma mi divertivo. In fondo preferivo stare a casa a leggere, però.

DACIA MARAINI   Cosa leggevi?

NATALIA GINZBURG   Romanzi.

DACIA MARAINI   Quali sono i primi romanzi che hai letto?

NATALIA GINZBURG   I romanzi russi: Dostoevskij, Tolstoj, Gogol.

DACIA MARAINI   Cosa pensavi di fare da grande?

NATALIA GINZBURG   La scrittrice. Oppure il medico. Volevo fare tutte e due le cose. (...)

(Maraini, D. (1973) *E tu chi eri? 26 interviste sull'infanzia*, Milano, Bompiani)

Vocabolario

essere in buoni / cattivi rapporti con
    qualcuno   *to be on good / bad terms with
    somebody*

fare una sfuriata a qualcuno   *to rant and rave at
    somebody, give somebody a scolding*

la lite   *quarrel, row*

risalire   *to go back to (i.e. in time)*

costringere   *to force, compel*

le festicciole   *informal parties*

B

Rileggete l'intervista con Natalia Ginzburg e
rispondete alle domande.

*Read the interview with Natalia Ginzburg again
and answer these questions.*

1   A scuola quali erano le materie che le
     piacevano e quali no?

2   Quale sport le piaceva?

3   Cosa faceva nel tempo libero?

4   Da giovane cosa scriveva?

5   Cosa voleva fare da grande?

C

Questo testo è un resoconto molto soggettivo
dell'infanzia di Natalia Ginzburg: contiene molte
espressioni di emozioni e molti aggettivi che
caratterizzano persone e eventi. Trovate nel testo
gli equivalenti delle seguenti espressioni.

*This text is a very subjective account of Ginzburg's
childhood, containing many phrases expressing
feelings and adjectives characterising people
and events. Find the equivalent of the following
phrases in the text.*

1   volentieri

2   mi faceva stare male

3   un genitore poco tollerante

4   terribili

5   gaia

6   esuberante

7   che parla poco

8   non aperta verso gli altri

9   emarginata

10 non volentieri

Cultura e società

Natalia Ginzburg

Natalia Ginzburg was born Natalia Levi in
Palermo in 1916. Her father's family was
Jewish and her mother's was Catholic, but she
was brought up an atheist. In 1919 the family
moved to Turin, where the Levi household
became a meeting place for many intellectuals
who opposed Mussolini.

Natalia studied at the University of Turin.
In 1938 she married the political activist
Leone Ginzburg. The Ginzburgs spent some
years in Abruzzo, where Leone was sent
into exile for political reasons, though they
both went to Rome secretly to edit an anti-
Fascist newspaper. Ginzburg's first novel was
published under a pseudonym because of the
race laws.

Leone Ginzburg
was arrested
and killed by
the Fascists in
1944 and in the
1950s Natalia
remarried and
returned to
Rome, where
she began
her most
prolific period
of writing.

Natalia Ginzburg, 1963

Amongst her best-known works are *Lessico famigliare* (1963), an account of her childhood through her family's sayings and phrases, and the play *Ti ho sposato per allegria* (1965). Ginzburg wrote about her personal experiences in a fictionalised form and many of her works are based on memories of her childhood and youth in Turin. She died on 7 October 1991.

Dacia Maraini

Dacia Maraini, 2009

The Italian writer Dacia Maraini was born in 1936 in Fiesole. Her mother, a painter, came from an old Sicilian family and her father was an ethnographer. The family lived in Japan from 1938 to 1947 and were interned for three of those years in a concentration camp for refusing to recognise the military government, an experience Maraini later wrote about in her poetry. On their return to Italy in 1947, the family lived in Sicily with Maraini's mother's family, in Bagheria, outside Palermo, an environment evoked in the novel *Bagheria* (1993). Maraini moved to Rome at age 18. From 1962 to 1983, she was the companion of the writer Alberto Moravia. In the 1960s Maraini published her first novels, *La vacanza* (1962) and *L'età del malessere* (1963). She continued to produce novels, short stories and poetry, winning several literary awards. One of her best known works is *La lunga vita di Marianna Ucrìa* (1990). Maraini's work encompasses social themes, the lives of women and the problems of childhood.

Attività 2.14

Ora è il vostro turno ad essere intervistati sulla vostra infanzia. Rispondete alle domande di Dacia Maraini. Guardate le risposte di Natalia Ginzburg per trarre qualche spunto. (100–120 parole.)

Now it's your turn to be interviewed about your childhood! Answer these questions from Dacia Maraini, using Natalia Ginzburg's answers for inspiration or as cues. (100–120 words.)

Hai avuto un'infanzia felice?

Ti piaceva andare a scuola?

Ti piaceva studiare?

Quando non studiavi, cosa facevi? Dello sport?

Cosa pensavi di fare da grande?

Attività 2.15

A

Guardate attentamente le seguenti frasi prese dall'intervista a Natalia Ginzburg e segnate la risposta giusta.

Look at the following sentences taken from Natalia Ginzburg's interview, and tick the correct answers below.

A – Ripensi con piacere alla tua infanzia?
   – Ci penso poco. Ma quando ci penso, lo faccio con piacere.

B Mio padre mi costringeva a fare le scalate in montagna. Io ci andavo, ma a denti stretti.

1 (a) *Ci* is the same as *sì*: it is used to answer yes.

   (b) *Ci* is used to replace words used in a previous sentence.

   (c) *Ci* is an abbreviation: it is short for *ci sono*.

2 In sentence A above:

   (a) *Ci* is used with a verb of motion.

   (b) *Ci* is used with a verb which can be followed by the preposition *a*.

3   In sentence B above:

(a) *Ci* is used with a verb of motion.

(b) *Ci* is used with a verb which can be followed by the preposition *a*.

Lingua 2.6

Uses of *ci*

As you have seen in the text about Natalia Ginzburg, *ci* can be used:

1   with a **verb of motion or staying** (e.g. *andare, restare, stare*), meaning 'there' or 'to there':

Mio padre mi costringeva a fare le scalate in montagna. Io **ci andavo**, ma a denti stretti.

– Vai a Londra?
– Sì, **ci vado** domani.
– *Yes, I'm going there tomorrow.*

– State a casa di Luciana?
– Sì, **ci stiamo** sempre quando siamo a Oxford.
– *Yes, we always stay there when we're in Oxford.*

2   to **replace a phrase introduced by the preposition *a*,** in other words with a verb that normally uses *a* (e.g. *pensare a, credere a, riuscire a*):

– Riesci a spostare la tavola da sola?
– No, non **ci riesco**, mi faccio aiutare da Gianni.
– *No, I can't manage it, I'll get Gianni to help.*

– Ripensi con piacere alla tua infanzia?
– **Ci penso** poco. Ma quando **ci penso**, lo faccio con piacere.

In the example above, *ci penso* means 'I think about it', but the phrase *ci penso (io)* can also mean 'I'll sort it out':

– No ho tempo per cucinare stasera. Come faccio?
– Non ti preoccupare, **ci penso io**.

G For further information on *ci*, refer to your grammar book.

B

Ora provate voi! Rispondete alle domande o commentate le affermazioni usando le frasi o i verbi forniti e includendo in ogni risposta la particella 'ci'.

Now you try! Reply to the questions or comment on the statements using the phrases or verbs supplied and including in every answer the particle ci.

Esempio

– **Non riesco ad aprire questa bottiglia di vino.**

– *Dammela, (provare) io.*

→Dammela, ci provo io.

1   – Non ho contanti per lasciare la mancia.

– *Non ti preoccupare, (pensare) mio marito.*

2   – Non ho tempo oggi per portare il cane a spasso.

– *Non ti preoccupare, (pensare) io.*

3   – Vado in bagno. Posso lasciare la borsetta?

– *Certo, (essere) noi.*

4   – Vado in città per fare un po' di shopping. E tu?

– *No. Io (andare) ieri sera. Non voglio più (tornare).*

5   – Riesci a finire la relazione per domani mattina?

– *No, mi dispiace, non (riuscire).*

Attività 2.16

Immaginate di partecipare a un concorso letterario intitolato 'Ricordi d'infanzia'. Scrivete di una persona, un oggetto o un avvenimento importante della vostra infanzia. (100–150 parole)

Imagine you are taking part in a writing competition called 'Memories of childhood'. Write about a person, an object or an event that was important in your childhood. (100–150 words)

You may wish to reuse some of the language from the writing you did in Attività 2.9 and 2.14.

Bilancio

Here are some ideas and suggestions on how to organise what you have studied in this unit. You don't have to do all the activities but you should select those that are particularly relevant to you to summarise and reinforce your learning.

Memorising keywords and structures

To keep a note of and memorise the key words from this unit, try the following activities.

1 Look at the following photo and:

(a) write down words you know to describe what you can see and what you can think of;

(b) write three sentences using an absolute superlative to describe some of the children in the photo;

(c) write three sentences about your own schooldays using the perfect and imperfect tenses.

2 In this unit you have worked on forming and using the imperfect tense. Make a list of the verbs that you have come across, and then add to the list throughout the course. You might find it useful to sort the verbs according to how their imperfect is formed, for example by using the following table:

Verbs ending in -are	Verbs ending in -ere	Verbs ending in -ire	Irregular verbs
parlare (parlavo...)	vivere (vivevo...)	dormire (dormivo...)	essere (ero...) fare (facevo...)

3 Make a list of expressions of time frequently used with the perfect and imperfect tenses. Remember to add to the list throughout the course, and to refer to it when an activity requires you to talk about the past.

4 Can you remember when the particle *ci* is used? Try to express this in your own words, and add a few of your own examples to illustrate the rule.

Cultura e società

What unexpected things have you found as you have read texts reflecting on people's childhood memories?

How different were your own holidays when you were a child from those described in this unit?

Was your first day at school similar to that described in *Attività 2.5*? How different are schools today compared to when you were a child? How different are schools in your own country to what is described here?

Non è bello ciò che è bello…

This unit is about describing people – their physical appearance, personality and skills – and comparing and identifying similarities. In the context of descriptions, you will work on two types of text, a diary and a literary text. You will also focus on making polite requests, suppositions and suggestions, and expressing wishes. The cultural elements will give you an insight into multiculturalism in Italian schools and an overview of the Italian school system.

Key learning points

- Describing people's physical appearance and personality
- *Farcela*
- *Cominciare* and *finire* in the perfect tense
- *Sapere / potere*
- Making comparisons using *come / quanto*
- *Andarsene*
- Making polite requests, suppositions, suggestions and expressing wishes with the present conditional

Study tips

- Ways of understanding vocabulary in a text
- Using a bilingual dictionary

Culture and society

- Italian handwriting
- Multiculturalism in Italian schools
- The Italian school system

Overview of *Unità 3*

Attività	Themes and language practised
3.1–3.3	Describing people's physical appearance and personality; reading a diary entry.
3.4–3.5	Using *farcela*; using *cominciare* and *finire* in the perfect tense.
3.6–3.7	Multiculturalism in Italian schools; talking about what a person can and can't do using *sapere* and *potere*.
3.8–3.11	Reading a description in a literary text; making comparisons using *come / quanto*; writing a diary entry; using *andarsene*.
3.12–3.13	Expressing requests, suppositions, suggestions and wishes using the present conditional tense; aspirations of Italian teenagers.
3.14	Writing an email; describing people.
Bilancio	Check your progress; further study tips.

In this first group of activities you will work on descriptions of people's physical appearance, revising relevant vocabulary and learning some colloquial expressions.

Attività 3.1

A

Marina fa la guida turistica. Nel suo gruppo di turisti c'è una persona in più, un intruso! Leggete le descrizioni dei partecipanti alla visita turistica, abbinatele alle immagini corrispondenti e scoprite l'intruso.

Marina is a tour guide. There is an extra person in her group of tourists, an intruder on the excursion! Read the descriptions of the participants and match them to the pictures to find the intruder.

1 È alta, magra e molto bella. Ha i capelli neri, lunghi e ricci e gli occhi azzurri.

2 È alto, un po' grasso, ha i capelli e gli occhi castani e porta gli occhiali. Non è molto giovane ed è sempre elegante.

3 È giovane, abbastanza alta, né magra né grassa, ha i capelli corti, biondi e gli occhi verdi. Porta quasi sempre i jeans.

4 È una persona anziana, bassa, magra e calva. Ha la barba e gli occhiali.

5 Non è né alta né bassa, abbastanza magra, ha i capelli neri, non è più giovane, ma ancora molto sportiva.

6 È alto, magro, sportivo e attraente. Ha i capelli neri non molto corti e gli occhi azzurri.

B

Descrivete le maschere nella foto all'inizio dell'unità. (Massimo 60 parole)

Describe the masks in the photo at the beginning of the unit. (Maximum 60 words)

C

Il titolo dell'unità fa parte di un proverbio italiano: 'non è bello ciò che è bello, è bello ciò che piace'. Fate una breve ricerca per scoprirne il significato o cercate un equivalente nella vostra lingua.

The title of this unit is part of an Italian proverb. Briefly research its meaning or find an equivalent in your own language.

(a) (b) (c) (d) (e) (f) (g)

A

Sara ogni sera scrive una pagina di diario. Leggete il seguente testo tratto dal suo diario e rispondete brevemente e con parole vostre alle domande.

Sara writes a diary entry every evening. Read the following page from her diary and answer the questions briefly in your own words.

Agosto

7 Venerdì
s. Gaetano da Thiene

Le spese di oggi

Caro diario,
*stamattina sono andata a fare la spesa al supermercato qui all'angolo. Andavo di fretta, ma all'entrata del supermercato, ho trovato la Signora Bassi, la portinaia, che mi ha bloccato per circa mezz'ora... La signora Luisella Bassi è una signora di più o meno settant'anni, bassa e grassa, ha i capelli grigi e gli occhi piccoli, piccoli, ma sempre attenti_*

Caro diario,

Stamattina sono andata a fare la spesa al supermercato qui all'angolo. Andavo di fretta, ma all'entrata del supermercato, ho trovato la signora Bassi, la portinaia, che mi ha bloccato per circa mezz'ora... La signora Luisella Bassi è una signora di più o meno settant'anni, bassa e grassa, ha i capelli grigi e gli occhi piccoli, piccoli, ma sempre attenti. È la pettegola del quartiere: sa tutto di tutti e passa le giornate in portineria a parlare degli altri. È terribilmente curiosa. Incontrarla quando si ha fretta è una tragedia perché parla per ore!

Lasciata la signora, ho fatto la spesa e ho passato l'intera giornata a cucinare. Domani vengono a cena dei carissimi amici: Alì e Federica con il piccolo Leo, Simone con il suo nuovo fidanzato Riccardo e mia sorella Clara. Ti ho mai parlato di loro, diario? Alì è un ricercatore marocchino, ha fatto un dottorato in Italia dove ha conosciuto Federica, una mia amica d'infanzia. Vivono insieme da nove anni e hanno un bimbo di sei, Leo, che fa la prima elementare. Sono simpatici, allegri, molto generosi e sempre disponibili. Simone, un altro amico d'infanzia, ci vuole presentare Riccardo; sono insieme da ormai quattro mesi. Simone dice che Riccardo è un ragazzo molto intelligente e socievole, fa il giornalista e ha sempre qualche aneddoto da raccontare... proprio come Simone! Come descrivere mia sorella Clara... è una persona molto estroversa e dinamica. Fa mille sport, ha molti amici e una vita sociale molto intensa. Ha molti corteggiatori perché oltre ad essere interessante e colta, è anche molto bella.

Faccio una pasta alla carbonara come primo e un pollo arrosto con patate e verdure come secondo. Speriamo di non bruciare tutto!

Domani ti racconto com'è andata la cena. Buona notte, diario.

Sara

1   Chi è la signora Bassi?

2   Come viene descritta fisicamente e in quanto a carattere?

3   Chi sono Alì, Federica e Leo e che cosa fanno?

4   Come sono Alì e Federica?

5   Chi sono Simone e Riccardo?

6   Com'è Riccardo secondo Simone?

7   Com'è Clara in termini di personalità e aspetto fisico?

8   Che cosa ha fatto Sara oggi e che cosa fa domani?

Suggerimento

Ways of understanding vocabulary in a text

When you read a text for the first time, it's a good idea to start by focusing on the words you know and try and get the gist of the meaning. Then, by looking closely you can often find clues to help work out words you have not come across before. Cognates are a help: these are words which look similar to words in English. For example, in the text you have just read, *supermercato* means 'supermarket', *generosi* means 'generous' and *aneddoto* means 'anecdote'. Many European languages have words with common origins which are similar in spelling and meaning.

Occasionally, however, you may be caught out by 'false friends' (*falsi amici*) – words that look similar but have different meanings – such as *argomento* which means 'subject' not 'argument' (although it can mean an intellectual 'argument' or line of thought). 'Library' and *libreria* ('bookshop') are clearly false friends, but you would be right to assume that these words are related linguistically and share the same origin. So cognates might provide clues or links to the meaning but may not be a correct and usable translation.

Using the context

Once you know the meaning of several keywords, you can often deduce a fair amount of the general sense from the context and may even be able to work out the meaning of particular words or expressions. It's always worth trying to work out the meaning of a word before you rush to a dictionary, as you will be more likely to remember a word or an expression and subsequently use it correctly.

Using a dictionary

If you do your first reading without looking anything up, you will be surprised how much you can understand if you follow the tips above. Some of the words you don't know may become clear anyway as you read on and they are repeated in different contexts. Only at the end should you turn to the dictionary to look up words you think are essential or to verify your 'guesses'.

B

Cercate di spiegare con le vostre parole, in italiano, il significato delle seguenti espressioni (in grassetto) usate da Sara. Aiutatevi con la pagina di diario di Sara. Non usate il dizionario o perderete un'opportunità di fare esercizio.

With the help of Sara's diary entry, try to explain in your own words, in Italian, the meaning of the following expressions (in bold). Try not to use the dictionary or you'll miss out on an opportunity to practise.

1   La signora Bassi è **una pettegola**.

2   Vengono a pranzo dei **carissimi amici**.

3   Alì e Federica **sono disponibili**.

4   Riccardo è un ragazzo **socievole**.

5   Clara è una persona **dinamica**.

C

Durante la cena, Sara, Alì, Federica, Simone, Riccardo e Clara parlano di amici in comune. Completate le frasi con il contrario dell'aggettivo sottolineato.

During the meal, Sara and her friends talk about some mutual friends. Complete the sentences by giving the opposite of the underlined adjectives.

Esempio

Giovanni è <u>alto</u>, vero?

Ma no, è basso!

CLARA   Domani ho una cena di lavoro con Barbara, che noia! È così <u>timida</u>, non dice una parola!

SARA   A me Barbara non sembra affatto timida, anzi, secondo me è una persona

_____ .

ALÌ   Sara, a te sono simpatici tutti. Tu trovi anche Franco <u>divertente</u>! A me sembra così

_____ !

SARA   Non è vero che mi sono simpatici tutti. Valeria, per esempio, è insopportabile.

SIMONE   Ti è <u>antipatica</u> Valeria? Che strano, io invece la trovo _____ .

ALÌ   È anche carina!

FEDERICA   Io Valeria non la trovo affatto <u>carina</u>, al contrario, per me è _____ .

RICCARDO   Cambiando argomento, secondo voi Marco è <u>grasso</u>?

FEDERICA   Ma no! È così_____ !

D

La signora Bassi è un po' una caricatura. Immaginate una persona chiacchierona e pettegola come lei. Descrivete il suo aspetto fisico ed il suo carattere (aspetti positivi e negativi). (Massimo 100 parole)

Mrs Bassi is a bit of a caricature. Imagine a busybody and chatterbox like her and describe his/her physical aspect and personality. (Maximum 100 words)

Italian handwriting

Children in Italy are taught to write the letters of the alphabet in three ways: *stampatello maiuscolo / grande* (upper case / capital letters), *stampatello minuscolo / piccolo* (similar to handwriting taught in UK schools today but without any joining up), and *corsivo* (joined-up handwriting similar to that previously taught in the UK). They are then encouraged to use only *corsivo* in their writings.

In recent years, however, teenagers have tended to adopt *stampatello minuscolo / piccolo*. This shift is mainly due to the mass use of computers.

- STAMPATELLO MAIUSCOLO/GRANDE
  A, B, C, D, E, F, G, H, I, L, M, N, O, P, Q, R, S, T, U, V, Z

- STAMPATELLO MINUSCOLO/PICCOLO
  a, b, c, d, e, f, g, h, i, l, m, n, o, p, q, r, s, t, u, v, z

- CORSIVO MAIUSCOLO
  A, B, C, D, E, F, G, H, I, L, M, N, O, P, Q, R, S, T, U, V, Z

- CORSIVO MINUSCOLO
  a, b, c, d, e, f, g, h, i, l, m, n, o, p, q, r, s, t, u, v, z/z

Attività 3.3

A

Leggete un'altra pagina del diario di Sara e scegliete le affermazioni corrette fra quelle proposte.

Read another page from Sara's diary and choose the correct statements from those provided.

Caro diario,

Oggi la giornata non è cominciata nel migliore dei modi, ma è finita alla grande!

Stamattina non ho sentito la sveglia, mi sono alzata tardi e naturalmente ho perso l'autobus delle 7.50. Ho dovuto chiamare un taxi, ma alla fine ce l'ho fatta ad arrivare in ufficio giusta giusta per la riunione con i clienti. Al lavoro tutto bene, a parte i soliti scontri con il capo. Ho finito di lavorare più o meno alle sei.

Stavo andando in palestra quando ho ricevuto una chiamata al cellulare. Il telefonino ha squillato un bel po' perché era in borsa. Alla fine ce l'ho fatta a trovarlo e ho risposto: era Clara, mia sorella. Francamente la telefonata mi ha sorpreso perché di solito la chiamo sempre io (Clara è sempre in giro, in palestra, al cinema, a cena fuori... e non ha mai tempo di fare una chiacchierata con sua sorella). Questa volta non ce l'ho fatta neppure a chiederle come stava. Ha cominciato a gridare: "andiamo ai Caraibi, Sara, andiamo ai Caraibi!"

Sempre gridando dalla gioia, mi ha raccontato di aver partecipato ad un concorso a premi e... ha vinto!! Il premio? Un viaggio per due ai Caraibi, otto notti, albergo cinque stelle, tutto compreso! E non è tutto... la sorellina mi ha chiesto di accompagnarla... per fare una bella chiacchierata. Non è una notizia fantastica? Partiamo a gennaio, ma i preparativi sono già cominciati: ho già cominciato a fare i bagagli!! Spero di riuscire a dormire, sono troppo felice.

Sara

1   La giornata di Sara...

(a) è stata faticosa.

(b) è iniziata male ma finita bene.

(c) è iniziata alla grande.

2   Sara è arrivata in ufficio...

(a) in anticipo.

(b) un po' in ritardo.

(c) puntuale.

3   Al lavoro Sara...

(a) ha dei problemi con il suo capo.

(b) ha seri problemi di tutti i tipi.

(c) non va d'accordo con i colleghi.

Lunedì **10**
s. Lorenzo

Le spese di oggi

Caro diario,
oggi la giornata non è cominciata
nel migliore dei modi, ma è finita alla
grande!

4   Sara...

   (a) ha risposto immediatamente alla chiamata.

   (b) non ha risposto ed è andata a casa di Clara.

   (c) ci ha messo un po' di tempo a rispondere.

5   Clara...

   (a) telefona spesso a Sara per chiacchierare.

   (b) telefona poco a Sara perché ha molti impegni.

   (c) non telefona mai a Sara perché non vanno molto d'accordo.

6   Clara...

   (a) ha prenotato una vacanza ai Caraibi e vuole che Sara la accompagni.

   (b) sogna una vacanza ai Caraibi con Sara.

   (c) ha vinto una vacanza ai Caraibi e vuole andarci con Sara.

B

Nelle sue pagine Sara usa alcune espressioni colloquiali, il suo diario è infatti un testo intimo e privato. Provate ad abbinare i colloquialismi usati da Sara (in grassetto nelle frasi sottostanti) con il loro equivalente formale.

In her pages, Sara uses several colloquial expressions, as her diary is a private, personal text. Try to match Sara's colloquialisms (in bold in the sentences below) to their formal equivalent.

1   La giornata è finita **alla grande.**

   (a) velocemente

   (b) molto bene

   (c) molto male

2   Clara non ha mai tempo di fare **una chiacchierata.**

   (a) conversazione

   (b) discussione

   (c) telefonata

3   Ce l'ho fatta ad arrivare in ufficio **giusta giusta** per la riunione.

   (a) in ritardo

   (b) puntuale

   (c) in anticipo

4   La signora Bassi **mi ha bloccato** per circa mezz'ora.

   (a) mi ha fermato

   (b) mi ha disturbato

   (c) mi ha distratto

5   Ha i capelli grigi e gli occhi **piccoli, piccoli.**

   (a) non molto piccoli

   (b) piccolissimi

   (c) un po' piccoli

6   Clara fa **mille sport.**

   (a) abbastanza sport

   (b) alcuni sport

   (c) molto sport

"... andiamo ai Caraibi, Sara, andiamo ai Caraibi!"

The next two activities follow up two grammar points contained in Sara's diary page: using *farcela*, and using *cominciare* and *finire* in the perfect tense.

Attività 3.4

A

Sara usa 'farcela' più di una volta nel suo diario, soprattutto al passato prossimo: 'ce l'ho fatta'. Guardate gli esempi tratti dal diario di Sara qui sotto e scegliete fra le alternative proposte una frase con lo stesso significato.

Sara uses farcela *more than once in her diary, mainly in the perfect tense:* ce l'ho fatta. *Look at the examples from Sara's diary below and choose, from the options given, sentences with the same meaning as those written by Sara.*

1   Alla fine **ce l'ho fatta** ad arrivare in ufficio giusta giusta.

   (a)   Alla fine sono riuscita ad arrivare in ufficio giusta giusta.

   (b)   Alla fine non sono arrivata in ufficio giusta giusta.

   (c)   Alla fine ho evitato di arrivare in ufficio giusta giusta.

2   Alla fine **ce l'ho fatta** a trovarlo.

   (a)   Alla fine ho cercato di trovarlo.

   (b)   Alla fine l'ho trovato.

   (c)   Alla fine non ho potuto trovarlo.

3   Non **ce l'ho fatta** neppure a chiederle come stava.

   (a)   Non ho avuto neppure il tempo di chiederle come stava.

   (b)   Non ho voluto neppure chiederle come stava.

   (c)   Le ho chiesto subito come stava.

Lingua 3.1

Farcela

Look at the following examples of the use of *farcela*.

> Finalmente sono partiti, non **ce la facevo** proprio più!
> *They finally left, I couldn't cope any longer!*

> **Ce la fai** o ti aiuto?
> *Can you manage or shall I help you?*

From the examples above you can see that the English equivalent of *farcela* is 'to manage' or 'to cope'. It is made up of three parts: *fare + ce + la*. You conjugate the verb *fare* and put *ce* and *la* in front of it (except when it is in the infinitive).

Remember that:

- in compound tenses the past participle always agrees with *la*:

  > Ce l'ho fatt**a**.

- *la* is elided to *l'* when followed by *avere*:

  > Non ce **l'**ho fatta a finire il libro ieri sera.
  > *I didn't manage to finish the book last night.*

'*Farcela a* + infinitive' is a frequently used construction:

> **Ce la fai** a portarli?
> *Can you manage to carry them?*

When the verb *fare* is in the infinitive, the imperative or the gerund, *ce* and *la* do not precede but are attached to it.

> Ragazzi, ormai abbiamo quasi vinto la partita, bisogna **farcela**! (*infinitive*)

B

Completate le frasi con 'farcela' al presente ('ce la faccio', 'ce la fai', ecc.) o al passato prossimo ('ce l'ho fatta', 'ce l'hai fatta', ecc.).

Complete the following sentences with farcela, using the present ('ce la faccio', 'ce la fai', etc.) or the perfect tense ('ce l'ho fatta', 'ce l'hai fatta', etc.).

Esempi

Non la devi aiutare, *ce la fa* **da sola.**

Non *ce l'hanno fatta* **a venire, erano troppo stanchi.**

1   Sono stanco, non _____ più a lavorare!

2   Francesca, ha chiamato Alì. Voleva dirti che ieri non _____ a prendere il treno.

3   Ti ringrazio, Simone, ma _____ anche da sola.

4   Simone, Riccardo, _____ a portare le valigie da soli?

5   Sara, _____ ad essere qui in ufficio per le sette e mezzo?

6   Siamo usciti presto di casa, ma non _____ ad arrivare in tempo alla stazione.

Attività 3.5

Nella sua pagina di diario nell'Attività 3.3, Sara usa 'cominciare' e 'finire' al passato prossimo sia con 'essere' che con 'avere'. Scoprite perché.

In her diary in Attività 3.3 *Sara uses* cominciare *and* finire *in the perfect tense using both* essere *and* avere. *Find out why.*

Lingua 3.2

The perfect tense of *cominciare* and *finire*

Have a look at these sentences:

> **Ho** cominciato un libro.
> **Ho** finito un libro.
>
> Il film **è** cominciato alle 21.
> Il film **è** finito alle 23.

As you can see, the perfect tense of *cominciare* and *finire* can be formed with either *essere* or *avere*.

Avere is used when the verb is followed by an object (or a verb):

> **Ho cominciato** un corso di tedesco.
>
> **Ho cominciato** a leggere un romanzo giallo.
>
> **Ho finito** un capitolo.
>
> **Ho finito** di cucinare.

Essere is used when the verb cannot be followed by an object.

> Il concerto **è già cominciato.**
>
> La riunione **è finita.**

When the perfect tense is formed with *essere*, the past participle needs to agree with the subject.

> **La cena** è finita tardi.

A number of other verbs behave like *cominciare* and *finire*, for example: *cambiare, aumentare, diminuire.*

G For further information, see your grammar book. If you have any doubts on the use of the perfect tense, refer to the relevant section of your grammar book and to *Unità 1* and *2.*

A

Scegliete l'opzione corretta per completare la frase.

Choose the correct option to complete the sentence.

1   _____ di lavorare più o meno alle sei.

   (a) Sono finito

   (b) Ho finito

2   Oggi la giornata non _____ nel migliore dei modi.

   (a) è cominciata

   (b) ha cominciato

3   Clara _____ a gridare.

   (a) ha cominciato

   (b) è cominciata

4   I preparativi _____

   (a) sono già cominciati.

   (b) hanno già cominciato.

5   _____ a fare i bagagli!!

   (a) Sono già cominciata

   (b) Ho già cominciato

B

Completate le frasi con 'avere' o 'essere' e l'ultima lettera del participio.

Complete the sentences with essere *or* avere *and the final letter of the past participle.*

1   Il concerto _____ finit_ molto tardi ieri.

2   Alì, _____ già cominciat_ il nuovo lavoro?

3   Barbara _____ cambiat_ tanto negli ultimi anni.

4   Leo, _____ già finit_ di fare i compiti?

5   Senti, _____ già cambiat_ il maglione o devo farlo io?

6   Peccato, le vacanze _____ già finit_!

7   Purtroppo il film _____ già cominciat_!

8   Incredibile! (Io) _____ cominciat__ a mettere in ordine la cucina ieri e non __ ancora finit_!

9   Ieri sera (io) _____ finit_ di leggere il primo libro di Harry Potter e stamattina ____ già cominciat_ a leggere il secondo.

C

Completate le seguenti frasi con il passato prossimo dei verbi 'cominciare' e 'finire' come negli esempi.

Complete the sentences with cominciare *and* finire *in the perfect tense, as shown in the examples.*

Esempi

L'anno scorso Sara ha cominciato (cominciare) un corso di salsa.

Il film è finito (finire) tardi.

1   Ieri sera io _____ (cominciare) a leggere un libro interessantissimo, parla di una storia vera.

2   La riunione _____ (finire)! Posso andare a casa.

3   I gemelli _____ (cominciare) le lezioni di pianoforte, hanno talento.

4   I conflitti _____ (cominciare) per motivi politici.

5   Simone, _____ (finire) di usare il computer? Mi serve!

6   A che età _____ (cominciare) a fumare, signor Paolini?

7   Il film _____ (finire) male, ho pianto tutta la sera.

8   – Da quanto tempo studiate l'italiano?

    – Beh, _____ (cominciare) a studiarlo tre anni fa in Romania, poi abbiamo raggiunto i nostri genitori in Italia e ora frequentiamo le scuole italiane.

9   Stamattina _____ (cominciare) a studiare, ma poi mi ha chiamato Marina.

10 – Sono in ritardo! Quando _____ (cominciare) il film?

    – Non hai perso molto, _____ (cominciare) solo da cinque minuti!

You have learned to describe somebody's physical appearance and personality. The next two activities are about describing a person by what they can or can't do. There will also be a writing opportunity for you to put into practice what you have learned about describing people.

Attività 3.6

Sara's friends Alì and Federica have a six-year-old son, Leo, who is in his first year of primary school. Leo's class is very different from the one Federica attended 26 years ago as it is far more multicultural.

Cultura e società

Multiculturalism in Italian schools

Nowadays, Italy is home to people who have their roots in all five continents and one of the best places to perceive this multiculturalism is in the education sector. According to data provided by the Ministry of Education, in the school year 1997–98 there were 70,657 students of foreign origin registered in Italian schools, while in the school year 2006/07 they were 501,445. According to the same statistics for the school year 2006–07, the highest percentage of students of foreign origin is to be found in the north-east (9.3%) and the north-west (8.9%) of the country, followed by central Italy (7.4%), the south (1.5%) and the islands (1.3%). These youngsters represent 191 different nations, reflecting the diversity of immigration in Italy, and the largest communities represented among the student population are originally from Albania, Romania, Morocco and China.

(Dati presi da www.rai.it [consultato il 25 ottobre 2009] e www.pubblica.istruzione.it [consultato il 26 gennaio 2010])

Logo of *Intercultura*, a project by the Ministry of Education (*MIUR – Ministero dell'Istruzione, dell'Università e della Ricerca*) to promote integration in the classroom.

A

Leggete il seguente dialogo fra Leo e la sua nuova compagna di classe, Irina, che viene dalla Repubblica Moldova. Sottolineate i verbi 'sapere' e 'potere' e riportateli nella tabella.

Read the following dialogue between Leo *and his new classmate Irina, a girl from Moldova. Underline the verbs* 'sapere' *and* 'potere' *and write them in the table.*

LEO	Ciao, io sono Leo, come ti chiami?
IRINA	Sono Irina.
LEO	Sei nuova, vero?
IRINA	Sì, vengo dalla Moldova.
LEO	Sai parlare italiano bene?
IRINA	Sì, so parlare italiano e romeno.
LEO	Io so parlare italiano e arabo, perché mia mamma è italiana e mio papà è marocchino.
IRINA	Posso usare i tuoi colori?
LEO	Sì, puoi usarli, te li presto.
IRINA	Grazie. Sai disegnare?
LEO	Sì e so anche scrivere il mio nome!
IRINA	Posso usare la tua gomma?
LEO	No, la gomma non la puoi usare, mi serve!

	Leo dice:	Irina dice:
sapere	Sai parlare italiano bene?	
potere		

Lingua 3.3

Sapere and *potere*

Both *sapere* and *potere* are used to express ability.

Sapere implies having a skill or knowledge which enables you to do something.

> Irina **sa** giocare a pallavolo.
> *Irina can play volleyball.*

> Leo **sa** suonare il violino.
> *Leo can play the violin.*

Potere implies having the opportunity or permission to do something.

> Oggi pomeriggio Irina **può** giocare a pallavolo perché non deve fare i compiti.
> *This afternoon Irina can play volleyball as she doesn't have any homework.*

> La maestra ha detto che Leo **può** suonare il violino al concerto di Natale.
> *The teacher said Leo can play the violin at the Christmas concert.*

Both verbs can often be translated into English using 'can'.

> Clara sa sciare.
> *Clara can ski.*

Clara non può giocare a tennis perché non ha tempo.
Clara can't play tennis as she hasn't got time.

 Revise the conjugation of *sapere* and *potere* in your grammar book if you're unsure about them.

B

Durante la cena, Sara e i suoi amici parlano anche di sport e di hobby, di quello che sanno, non sanno e possono fare. Completate i dialoghi formulando la domanda o la risposta mancante. Usate 'sapere' + infinito o 'potere' + infinito.

During the meal, Sara and her friends also talk about sports and hobbies, of what they can or can't do. Complete the dialogues by writing the missing question or answer, using 'sapere' + infinitive or 'potere' + infinitive.

Esempio

– A Natale Sara ed io andiamo a sciare. Vuoi venire?

– Volentieri!

– *Sai sciare*? (tu /sciare)

– Sì, *so sciare* bene! (io / sciare)

– A Natale Sara ed io andiamo a sciare. *Puoi venire* (tu / venire) anche tu, se vuoi!

– Volentieri!

1 – Sai Riccardo, Sara sa suonare il pianoforte molto bene, Alì e Federica _____ (suonare) la chitarra.

– Che bello, _____ (noi / cantare) bene e loro _____ (suonare) divinamente, _____ (noi /formare) un gruppo!

– Sarebbe divertentissimo! Leo ci _____ (fare) da manager...

2 – Alì, _____ (tu / parlare) più di due lingue, vero?

– Sì, parlo arabo, italiano e francese. Ora sto studiando un po' di inglese, per lavoro.

– Sei veramente poliglotta!

– Anche Leo è poliglotta, ha sei anni ed è perfettamente bilingue.

3 – Simone, Riccardo, _____ (voi / cucinare)?

– Sì, _____ (noi / fare) un ottimo tiramisù.

– Allora quando ci invitate a cena?

– _____ (voi / venire) quando volete!

4 – Simone, è vero che _____ (tu / guidare) la motocicletta?

– No, _____ (io / guidare) il motorino!

– Sì, non l'hai mai visto per le strade di Torino con la sua Vespa bianca?

5 – _____ (voi / giocare a golf)?

– Non benissimo, ma ce la caviamo.

– _____ (noi / andare) a giocare il prossimo fine settimana, tutti insieme!

Vocabolario

cavarsela   *to cope, manage*

Attività 3.7

Scrivete un annuncio online per cercare un nuovo coinquilino o per voi o per un vostro amico o parente che non sa parlare italiano. Dite come deve essere e che cosa deve saper fare per poter condividere un appartamento con voi / il vostro conoscente. (Massimo 60 parole)

Write an online advertisement to find a new flatmate or to help a friend or relative who doesn't speak Italian to find one. Explain what they should be like and what they are supposed to be able to do to share a flat with you / your friend or relative. (Maximum 60 words)

Potete iniziare così:

> Cerco una coinquilina pulita…

Description is of course an essential part of a narrative text, since it not only introduces the setting to the reader but also introduces characters and events. The next activity contains a short descriptive extract from a literary text by Natalia Ginzburg for you to work on, after which you will make comparisons, write a diary entry and focus on the verb *andarsene*.

Attività 3.8

A

Leggete le seguenti parole (che vedrete nel testo della sezione B) ed abbinatele ai disegni corrispondenti.

Read the following expressions (which you will shortly come across in the text in section B) and match them to the corresponding drawings.

1 La Zezé ha i piedi ossuti.

2 Le sacche della spesa.

3 Ha un impermeabile finta tigre.

4 Con i capelli puntati in cima alla testa.

5 Con le occhiaie e le rughe.

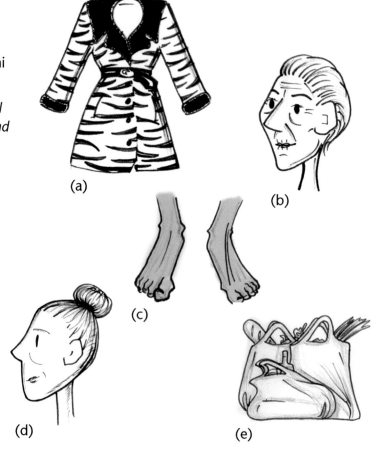

(a)

(b)

(c)

(d)

(e)

B

Leggete il seguente testo letterario su una signora chiamata Zezé; decidete se le affermazioni sono vere o false e correggete le false.

Read the following literary text about a lady called Zezé and decide whether the statements are true or false. Correct the false ones.

La Zezé è nera, panciuta, larga di fianchi e magra di spalle e di gambe, con dei piedi ossuti, larghi e piatti. È alta quasi quanto me e dice che io sono la più alta di tutte le signore che ha avuto. Arriva a mezzogiorno con le sacche della spesa. Quando piove ha un impermeabile finta tigre. Per fare le faccende si mette in testa un fazzoletto fatto a turbante. È nata nel Capo Verde, ma è cresciuta in casa d'una zia a Torpignattara.

Non le piacciono le donne alte. Lei è alta ma ben proporzionata, ha le gambe sottili per sua fortuna, io non le ho tanto sottili per mia disgrazia. [...] Trova che io mi pettino male. Così come mi pettino con i capelli tutti puntati in cima alla testa, si vede troppo la mia faccia magra, con le occhiaie e le rughe. Lei ha la faccia piena e non ha bisogno di nasconderla coi capelli. I suoi capelli sono ricci, crespi e gonfi, li taglia ben corti [...]. Ha i capelli ancora tutti neri per sua fortuna. Io invece di capelli bianchi ne ho tanti, e chissà cosa aspetto a tingerli, non si sa.

Io sul momento sono la sua sola signora. Prima di venire da me va in piazza San Cosimato, un'ora da Egisto, dove non c'è niente da fare perché Egisto è pulito e preciso, poi due ore al piano di sotto da Alberico e lì c'è un casino. Né da Egisto né da Alberico ci sono signore. [...] Dopo che è stata da me va ancora a stirare da un architetto, e anche lì non ci sono signore. A lei piace il lavoro quando c'è almeno una signora.

Viene da me a mezzogiorno e se ne va alle quattro e mezzo. Alle quattro dovrebbe andare a prendere Vito all'asilo, ma non le va di andarci. Vito è troppo vivace e lei non ha voglia di corrergli dietro per strada. Non le piace portare a spasso bambini.

(Ginzburg, N. (1984) *La città e la casa*, Torino, Einaudi)

Vocabolario

crespo,-a   *frizzy*

tingere i capelli   *to dye one's hair*

un casino (colloquiale)   *(here:) mess*

		Vero	Falso
1	La Zezé lavora come domestica in varie case.	☐	☐
2	La Zezé è alta quasi quanto la signora.	☐	☐
3	La Zezé è africana, di recente si è trasferita in Italia.	☐	☐
4	Va a lavorare dalla signora verso sera.	☐	☐
5	La Zezé è abbastanza critica nei confronti della signora.	☐	☐
6	Le piace come la signora si pettina.	☐	☐
7	La signora si sente un po' inferiore rispetto alla Zezé.	☐	☐
8	Le piace molto fare le pulizie in casa di uomini.	☐	☐
9	Ama i bambini, ma non Vito.	☐	☐
10	La Zezé è una donna decisa, che sa quello che vuole!	☐	☐

Using a bilingual dictionary

When reading longer or literary texts, you will probably need to use a bilingual dictionary. Remember that not all the parts or variations of the word will be listed as headword entries, so it helps to know what the 'basic' form of a word is.

- Verbs will be listed under their infinitive form (*andare* not *vado*).

- Nouns in the singular form (*chiave* not *chiavi*).

- Adjectives in the masculine singular form (*allegro* not *allegre*).

For reflexive verbs (also known as pronominal verbs), you will usually need to look up the basic verb without the reflexive pronoun. So, for example, *alzarsi* will be found as a subheading of the entry *alzare*, marked as v.pr. (*verbo pronominale*) or v.r. (*verbo riflessivo*).

Same word, different meanings

If you are using a bilingual dictionary to look up the Italian translation of an English word, you may find several different meanings given, with different Italian translations of that word. Most dictionaries indicate the different meanings with glosses, labels and synonyms.

For example, imagine you wanted to translate the following sentence into Italian:

He didn't think he did very well – he said it was a difficult paper.

Here is an entry taken from a large bilingual dictionary for the English word 'paper'.

1.paper /'peɪpə(r)/ **I** n. **1** (*for writing etc.*) carta f.; *a sheet of* ~ un foglio di carta; *to get* o *put sth. down on* ~ mettere qcs. per iscritto *o* su(lla) carta; *it's a good idea on* ~ FIG. sulla carta è una buona idea; *this contract isn't worth the* ~ *it's written on* questo contratto vale meno della carta su cui è scritto **2** (anche **wall**~) carta f. da parati **3** (*newspaper*) giornale m. **4** (*scholarly article*) saggio m., articolo m. **5** (*lecture*) lezione f.; (*report*) relazione f., intervento m. **6** (*examination*) esame m. scritto, prova f. (on di) **7** ECON. effetto m. (commerciale) **8** (*government publication*) documento m., libro m. **II papers** n.pl. AMM. carte f., documenti m. **III** modif. **1** [*bag, hat, napkin, plate, cup, towel*] di carta; [*industry, manufacture*] della carta **2** FIG. [*loss, profit*] teorico, nominale; [*promise, agreement*] senza valore, sulla carta.
2.paper /'peɪpə(r)/ **I** tr. (anche **wall**~) tappezzare [*room, wall*] **II** intr. *to* ~ *over the existing wallpaper* ricoprire la tappezzeria precedente; *to* ~ *over one's differences* cercare di nascondere le differenze ♦ *to* ~ *over the cracks* metterci una pezza.

From looking through the entry, you will see that the meaning you need for translating the sentence above is meaning number 6, 'examination'. If more than one translation is given within that sense category, as in this case, you can always look up the words offered ('*esame*', '*scritto*', '*prova*') in the Italian–English part of the dictionary to see what the nuances between them are and check which is the best one to use.

C

Cercate nel testo della sezione B il contrario dei seguenti aggettivi.

Find the opposite of the following adjectives in the text in part B.

1 stretto,-a

2 sproporzionato,-a

3 liscio,-a

4 sporco,-a

5 impreciso,-a

6 tranquillo,-a

Lingua 3.4

Making comparisons using *come* / *quanto*

To compare two objects or people of equal qualities, you can use *come* / *quanto*.

> Simone è alto **come** me.
> *Simone is as tall as me.*

> Questa gonna è stretta **quanto** l'altra.
> *This skirt is as tight as the other one.*

To compare two adjectives referring to the same noun, you can use '*tanto* + adjective ... *quanto* + adjective'.

> Questo vestito è **tanto** comodo **quanto** elegante.
> *This dress is as comfortable as it is elegant / smart.*

(This is a rather literary way of saying 'This dress is both comfortable and elegant / smart.')

> La notte era **tanto** oscura **quanto** silenziosa.

> Valeria è **tanto** bella **quanto** antipatica!

The construction can also be used to compare two adverbs.

> Carlo scrive **tanto** velocemente **quanto** accuratamente.

In this context, *tanto* and *quanto* are invariable (i.e. do not change their ending).

Attività 3.9

A

Guardate i sei personaggi e confrontateli: in che cosa sono simili? Scrivete almeno cinque frasi.

Look at the characters and compare them. In what ways are they similar? Write at least five sentences.

Esempio

Giulio è alto come / quanto Michela.

Elisa   Giulio   Francesca   Marco   Michela   Piero

B

Scrivete una frase per ogni gruppo di parole usando 'tanto ... quanto' come nell'esempio.

Write a sentence for every group of words using tanto ... quanto *as in the example.*

Esempio

La signora Bassi – chiacchierona – curiosa

La signora Bassi è tanto chiacchierona quanto curiosa.

1   Riccardo – intelligente – simpatico

   _____

2   Clara – bella – colta

   _____

3   Federica – generosa – amichevole

   _____

4   Leo – fa i compiti – accuratamente – rapidamente.

   _____

Attività 3.10

Scrivete una pagina di diario, come fa Sara. Raccontate di una persona che avete conosciuto da poco. Includete tutte le informazioni nella lista qui sotto. (150–200 parole)

Write a diary page, as Sara does, about someone you have recently met. Include all the information in the list below. (150–200 words)

• Chi è e che cosa fa.

• Descrizione aspetto fisico.

• Descrizione carattere.

• Che cosa sa fare (hobby, sport).

• In che cosa siete simili.

• In che cosa siete diversi.

Attività 3.11

A

Leggete questa email che Federica ha mandato a Sara per ringraziarla e scegliete le risposte corrette (sono due).

Read the email that Federica sent Sara to thank her and choose the two correct answers.

Ciao Sara,

ti scrivo per ringraziarti per la bellissima serata di ieri. È stata veramente un successo! Ci siamo divertiti tantissimo e non hai neppure bruciato il pollo!

Mi dispiace che ce ne siamo andati alle 22.30, non volevamo andarcene così presto, ma Leo doveva andare a letto, se no non si alza per andare a Scout!

Simone mi ha mandato un messaggio stamattina, ha detto che loro se ne sono andati all'una! Simpatico Riccardo, vero? Mi sembra proprio un bravo ragazzo, sono contenta per Simone.

Me ne vado a stirare... il dovere mi chiama.

Ti mando un bacione,

Fede

1   'Andarsene' vuol dire andare.

2   'Andarsene' vuol dire andare, ma con una sfumatura negativa, come 'scappare'.

3   'Andarsene' vuol dire uscire da un luogo chiuso.

4   'Andarsene' è formato dal verbo 'andare', il pronome riflessivo 'se' e 'ne'.

Lingua 3.5

Andarsene

The meaning of *andarsene* is the same as the verb *andare* ('to go') but conveys an emotional involvement. Depending on the context or the tone used by the speaker, *andarsene* can express disappointment, anger, happiness or boredom.

Look at the following examples:

After a day at work:

> Ho finito e vado a casa.   (*fact*)

> Ho finito e **me ne vado** a casa!
> (*expressing happiness to be going home*)

After an argument:

> Basta, ne ho abbastanza, **me ne vado**!
> (*expressing anger*)

In front of the TV:

> Non c'era proprio niente di bello, **me ne sono andata** a letto.
> (*expressing boredom*)

Se and *ne* normally come before the verb:

> me ne vado, te ne vai, se ne va, ce ne andiamo, ve ne andate, se ne vanno

In the following forms of the verb, however, they are attached to the end of the verb:

Infinitive: dobbiamo andar**cene**

Gerund: andando**sene**

Imperative: va**ttene**!, andate**vene**!

G Revise the conjugation of *andare* in your grammar book if you're not sure of it.

B

Completate le frasi con il verbo 'andarsene' al presente ('me ne vado', 'te ne vai', ecc.) o al passato prossimo ('me ne sono andato/a', 'te ne sei andato/a', ecc.).

Fill in the gaps with andarsene *in the present (*me ne vado, te ne vai, *etc.) or perfect tense (*me ne sono andato/a, te ne sei andato/a, *etc.).*

Esempio

Me ne vado **a letto perché ho molto sonno.**

Me ne sono andata **a letto presto perché avevo molto sonno.**

1   Federica di solito _____ in palestra dopo lavoro.

2   A teatro mi sono annoiata e _____ quasi subito.

3   – Sara è ancora in ufficio?

   – No, _____ appena _____ a casa.

4   – Siete rimasti ancora a lungo da Sara?

   – Sì, _____ all'una.

5   Allora, la tua amica _____ o resta a cena? È così noiosa!

6   – (voi) _____ già?

   – Sì, Leo deve andare a letto, è già tardi per lui.

7   A gennaio Clara e Sara _____ in vacanza ai Caraibi!

8   Adesso Leo _____ a giocare a calcio con il suo papà.

C

Scrivete tre frasi al presente con 'andarsene', esprimendo gioia, noia o rabbia.

Write three sentences in the present tense with 'andarsene' expressing happiness, boredom or anger.

The next two activities introduce the verb form used to make requests, suppositions, suggestions and express wishes. You will also learn about the hopes and aspirations of Italian teenagers.

Attività 3.12

A

Come vedete il vostro futuro? Rispondete brevemente alle seguenti domande.

How do you see your future? Answer the following questions briefly.

1 Qual è il vostro sogno nell'ambito professionale o familiare?

2 Avete paura del futuro? Perché?

3 Che cosa vuol dire, secondo voi, 'avere un sogno nel cassetto'?

4 Avete un sogno nel cassetto?

B

Leggete l'articolo e rispondete poi alle domande. Non vi preoccupate se nel testo trovate forme verbali che non conoscete... per il momento concentratevi sul contenuto dell'articolo.

Read the article and answer the questions. Don't worry if you come across verb forms you haven't learnt yet; for the time being just concentrate on the content of the text.

Il futuro? I giovani lo immaginano così

Torino – I giovani continuano a sognare, ma sono anche sorprendentemente realisti. I giovani sognano di fare professioni diverse, ma comune a tutti è la preoccupazione per il futuro, la paura di non poter avere un lavoro stabile e remunerativo, oppure di non avere una casa.

Hanno ben chiaro, ed è strano per la loro età, il divario tra sogni e realtà e, quando parlano del loro futuro, lo immaginano in due modi paralleli. Da una parte, c'è quello che vorrebbero fare, il loro sogno nel cassetto, e dall'altro c'è un'alternativa meno ambiziosa e più probabile.

Cristian, 18 anni, studente di ragioneria: "Quello che mi piacerebbe fare? – risponde timidamente – Beh, dipende da cosa intendi... Vorrei tanto diventare un calciatore famoso. Adoro il calcio e gioco abbastanza bene, ma mi sembra quasi una cosa irraggiungibile. Penso forse di lavorare in banca perché sarebbe un lavoro stabile e guadagnerei abbastanza". Preoccupato per il futuro? Cristian non sembra avere dubbi: "Sì, e molto, ma adesso non ci penso".

Ludovica, 18 anni anche lei, studia al liceo artistico. Alla domanda su cosa vorrebbe fare in futuro, risponde: "Io vorrei entrare nel mondo dello spettacolo. Vorrei fare la velina e poi presentare un programma tutto mio". Paura per il futuro? "Certo che ne ho e molta. Non è facile entrare nel mondo dello spettacolo".

Martina, 17 anni, studente di liceo scientifico: "Io voglio fare la chimica – spiega. Martina dice di essere molto preoccupata per il futuro. "Non c'è lavoro, le case costano e le cose costano sempre di più. Speriamo bene…".

(Adattato da www.diregiovani.it) [consultato il 20 ottobre 2009]

Vocabolario

remunerativo *well-paid*

il divario *gap, difference*

intendere *(here:) to mean*

irraggiungibile *unattainable*

guadagnare *to earn*

la velina *model-type showgirl who accompanies a TV presenter on some Italian TV shows*

1   Secondo l'articolo, i giovani sognano ancora?

2   Qual è l'elemento comune a tutti i giovani?

3   Qual è il sogno di Cristian? Qual è il suo progetto meno ambizioso?

4   Che cosa vuole fare Ludovica?

5   Perché Martina è molto preoccupata per il futuro?

6   C'è qualcuno che non ha ambizioni o sogni?

Lingua 3.6

The present conditional

The article above contains several instances of a verb form you have probably only come across in passing, the present conditional.

> **Vorrei** diventare un calciatore famoso.
> *I would like to become a famous footballer.*

The conditional is a verb form which expresses a degree of uncertainty, it is used in situations such as the following:

1   To express a wish:

> **Vorrei** andare al mare.
> *I would like to go to the seaside.*

This is the use you will be familiar with from sentences like 'Vorrei comprare una guida della città'. But the conditional is also used to express broader wishes for the future, as in the article you have just read:

> … quello che **vorrebbero** fare
> *… what they would like to do*

> Quello che **mi piacerebbe** fare.
> *What I would like to do.*

2   To make a polite request:

> **Potrebbe** dirmi che ore sono?
> *Could you tell me the time?*

> **Potrei** prenotare due biglietti per il film?
> *Could I book two tickets for the film?*

3   To make a suggestion:

> **Potremmo** andare in piscina!
> *We could go to the swimming pool!*

4 To express a possibility or a supposition:

Pensi che **verrebbe** con noi?
Do you think he /she would come with us?

or to talk about a possible future situation:

Sarebbe un lavoro fisso.
It would be a permanent job.

Guadagnerei abbastanza.
I would earn enough.

To form the present conditional of regular verbs, the following endings are attached to the stem of the verb.

	PARLARE	LEGGERE	FINIRE
io	parl-e-rei	legg-e-rei	fin-i-rei
tu	parl-e-resti	legg-e-resti	fin-i-resti
lui, lei, Lei	parl-e-rebbe	legg-e-rebbe	fin-i-rebbe
noi	parl-e-remmo	legg-e-remmo	fin-i-remmo
voi	parl-e-reste	legg-e-reste	fin-i-reste
loro	parl-e-rebbero	legg-e-rebbero	fin-i-rebbero

D

Completate le seguenti frasi con il condizionale presente dei verbi fra parentesi.

Complete the following sentences with the present conditional of the verbs in brackets.

1 Simone (volere) _____ comprare un nuovo motorino.

2 Federica, mi (passare) _____ il sale, per favore?

3 Mi (piacere) _____ andare in Marocco.

4 Mi scusi (potere / io) _____ aprire la finestra?

5 Ragazzi, mi (dare) _____ una mano a mettere in ordine?

6 Beh, i tuoi amici (potere) _____ arrivare anche un po' prima!

7 Se ti va, (noi / potere) _____ andare di nuovo al ristorante cinese.

8 Non credo che Leo (venire) _____ con noi.

9 Mi (prestare) _____ un attimo la tua penna?

10 Senta, scusi, ci (portare) _____ ancora un po' di pane?

C

Completate la seguente tabella di verbi irregolari, seguendo il comportamento del verbo 'essere'.

Complete the table of irregular verbs below, following the pattern of the verb essere.

ESSERE	sarei	saresti	sarebbe	saremmo	sareste	sarebbero
AVERE	avrei					
SAPERE	saprei					
VOLERE	vorrei					
POTERE	potrei					
VENIRE	verrei					

As you can see, irregular verbs have irregular stems in the conditional (e.g. *sar-*, *avr-*, *sapr-*, *vorr-*, etc.) but the endings of the conditional are always the same.

Attività 3.13

A

Osservate i fumetti e collegateli con il rispettivo uso del condizionale presente.

Look at the cartoons and match them with the corresponding use of the present conditional.

1 fare una proposta

2 esprimere un desiderio

3 dare un consiglio

4 chiedere cortesemente qualcosa

5 fare una supposizione

(a)

(b)

(c)

(d)

(e)

B

Nelle frasi riportate nella prima colonna della tabella viene utilizzato il condizionale. Leggetele e segnate di quale uso del condizionale si tratta, seguendo l'esempio.

The sentences in the first column of the table are in the conditional. Read them and tick which use of the conditional is contained in each sentence, following the example.

Esempio

Vorrei un'aranciata per favore.

= Richiesta cortese

		Desiderio	Richiesta cortese	Proposta / suggerimento	Supposizione
1	Potrebbe portarmi il conto per favore?				
2	Per la festa potresti mettere il vestito rosso.				
3	Non credo che funzionerebbe.				
4	Vorrei tanto andare in Sudamerica.				
5	Potremmo andare in campeggio!				
6	Vorrei un caffè e un cornetto, per favore.				
7	Sarebbe bellissimo!				
8	Vorresti dire che non verrai?				

Cultura e società

The Italian school system

The teenagers interviewed in the article (in *Attività* 3.12A) are all secondary school students: Cristian studies *ragioneria*, Ludovica attends a *liceo artistico* and Martina goes to a *liceo scientifico*. In Italy the school cycle is divided into three parts: elementary school, middle school and secondary school. Children start school at the age of six and complete compulsory education at the age of 16. In elementary and middle school, pupils follow a national curriculum where all subjects are compulsory except for religious studies. At the age of 13 they choose the type of secondary school they wish to go to.

Age	School	Also known as…
0–3 anni	Asilo nido	
3–6 anni	Scuola materna, asilo	Scuola per l'infanzia
6–11 anni	Scuola elementare	Scuola primaria
11–14 anni	Scuola media	Scuola secondaria di primo grado
14–19 anni	Scuola superiore	Scuola secondaria di secondo grado

Secondary schools can be divided into three main groups, all of which last five years:

- *licei*: have a more academic approach.
- *istituti tecnici*: have a practical but also a theoretical approach.
- *istituti professionali*: are vocational.

There are then different types of *licei, istituti tecnici* and *istituti professionali* teaching different subjects. For instance, if you go to a *liceo classico*, you will do Latin and Greek, but less maths, etc., whereas at a *liceo scientifico* the main subjects are maths, physics and chemistry. Once the choice of secondary school has been arranged, all subjects there are compulsory except for religious studies.

At the end of the *scuola media* and *scuola superiore*, students have to take an exam to obtain their diploma.

The final activity of this unit, writing an email, provides an opportunity to practise the present conditional tense and revise vocabulary and structures used for describing people.

Attività 3.14

State cercando un tandem partner italiano per esercitarvi nell'uso dell'italiano orale. Una scuola di lingue vicino a casa vostra organizza un progetto di tandem partner e abbina persone con lingue ed interessi simili. Scrivete un'email alla scuola di lingue descrivendo le caratteristiche della persona che vorreste conoscere. Usate i vocaboli (descrizione della personalità) e le strutture (condizionale presente) che avete studiato in questa unità. Qui sotto trovate l'inizio dell'email. (100–200 parole)

You are looking for an Italian tandem partner to practise your spoken Italian. A language school near you organises a tandem partner scheme and matches people with similar languages and interests. Write an email to the language school describing the characteristics of a tandem partner you would like to be put in touch with. Use the vocabulary (character description) and structures (the present conditional) you have learnt in this unit. Here is the start of the email. (100–200 words)

> Gentili Signori,
>
> vi scrivo per trovare un tandem partner...

Bilancio

Here are some ideas and suggestions on how to organise what you have studied in this unit. You may wish to do all the activities or to select those that are particularly relevant to you in reinforcing your learning.

Memorising keywords and structures

To keep a note of and memorise the keywords from this unit, try the following activities.

1 Find some images of people in magazines, on TV or online, and practise describing their physical appearance. Write three sentences for each.

2 Revise words and adjectives to describe people, for example by continuing the mind map below.

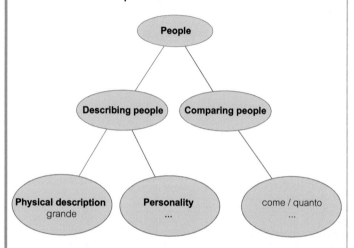

3 Pick three relatives, three colleagues or three acquaintances and write sentences to compare them using adjectives and *come / quanto*.

4 Write one sentence using the present conditional for each of the possible uses that you have learned in this unit.

Cultura e società

What have you learned about multiculturalism in Italy? Were you surprised by any aspects of Italian society you read about in this unit?

How multicultural is the society you live in or come from? What do you think are the benefits of living in a multicultural society?

Is the school system in your country very different from the Italian school system? In what respect? What do you think are the strengths and weaknesses of each system?

Appuntamenti, attività ricreative e culturali

Getting together with friends and family for a meal, a drink or a cultural event is an important part of Italian lifestyle. In this unit you will explore various aspects of socialising and entertainment in Italy, learning how to make invitations and suggestions using appropriate vocabulary and structures. The cultural elements will provide you with an insight into the *Cinecittà* Italian film studios and Italian opera houses, and what is considered polite or rude according to Italian etiquette.

Key learning points

- Talking about social and cultural events and where they take place

- Making, accepting or rejecting invitations, making suggestions

- *Stare* + *gerundio*: '*Che cosa stai facendo*'

- Text message abbreviations

- *Ce l'ho, ce l'hai...*

- Agreement of the past participle with *lo/la/li/le*

- Position of *lo/la/li/le* with verb + infinitive

- *Che* and *cui*

Study tips

- Learning from your mistakes

- Plagiarism and language learning

Culture and society

- Cinecittà

- Italy's theatres and opera houses

Overview of *Unità 4*

Attività	Themes and language practised
4.1–4.2	Social and cultural activities.
4.3–4.5	Making, accepting and rejecting invitations; making suggestions.
4.6–4.8	Saying what you are doing and describing current events or actions using *stare* + *gerundio*; reading and writing text messages.
4.9–4.11	Further vocabulary about events and social activities; *ce l'ho, ce l'hai*; agreement when *lo/la/li/le* are used with the perfect tense.
4.12–4.15	Good manners and social etiquette; the position of *lo/la/li/le* with verbs + infinitive; *che* and *cui*.
4.16	Writing about good and bad manners.
Bilancio	Check your progress; further study tips.

The first part of this unit focuses on social and cultural activities. You will widen your vocabulary on the topic and learn about favourite forms of entertainment in Italy.

Attività 4.1

A

Abbinate le foto alle parole che le descrivono.

Match the photos to the words which describe them.

1

2

3

4

5

6

(a) museo

(b) mostra

(c) ristorante

(d) bar

(e) opera lirica

(f) teatro all'aperto

B

Ora parlate voi delle vostre attività ricreative preferite. Scegliete fra le foto a pagina 89 un'attività che vi piace fare ed una che non vi piace assolutamente. Scrivete il perché. (Massimo 70 parole)

Now talk about your own favourite activities. From the pictures on page 89, choose an activity that you like and one that you don't like at all and explain why in writing. (Maximum 70 words)

Potete iniziare così:

> Ho scelto la foto numero uno [due / tre] perché …

Suggerimento

Learning from your mistakes

When you write or talk in Italian, you are bound to make mistakes. Not only is this natural and normal when learning something new but it is actually an important part of the learning process. In learning a language, the mistakes you make will show you the areas you need to work on.

The following tips are ways you can take active steps to use your mistakes to your own advantage:

- Start by highlighting the errors your tutor points out in your assignments and categorising them so that you can see the mistakes you tend to make. You could, for example, adopt a simple system to analyse errors on verbs. Was the mistake a <u>tense error</u>? (Perhaps you chose the imperfect instead of the perfect tense.) Or did you forget to make the verb <u>agree with its subject</u>?

- Concentrate on just one area of difficulty at a time (such as **pronunciation** and **intonation**, **spelling**, **vocabulary** or **verb tenses**). This will prevent you from feeling discouraged or overwhelmed and make you more aware of the progress you are making, which will in turn boost your confidence.

C

Qui sotto troverete un modello di risposta scritta da uno studente per completare la sezione B. Osservate gli errori commessi dallo studente (sottolineati nel testo) e suddivideteli in categorie come consiglia il 'Suggerimento' qui sopra.

Here is a sample answer a student might have written for step B. Look at the mistakes in it (underlined in the text), and categorise them into different types of mistake following the advice in the Suggerimento above.

> Ho scelto <u>il</u> foto numero due perché mi piace molto l'opera, sopra<u>t</u>utto l'opera italian<u>o</u>. <u>Vai</u> all'opera due o tre volte l'anno, vorr<u>ò</u> andare più spesso, ma a mia moglie non piace per niente! <u>Il</u> secon<u>do</u> foto che ho scelto è <u>il</u> foto del Museo civico. Non amo andare a vi<u>sit</u>tare musei e mostr<u>i</u>, perché non sono un amante e un<u>'</u>esperto d'arte.

Tense	Agreement	Spelling	Other grammatical mistakes

Attività 4.2

A

Sandro, un ricercatore italiano che vive in Danimarca, va a trovare suo cugino Paolo a Roma per una settimana. Leggete le email fra i due cugini e rispondete brevemente alle domande.

Sandro, an Italian researcher living in Denmark, is going to visit his cousin Paolo in Rome for a week. Read the emails between the two cousins and answer the questions briefly.

Paolo

> Ciao Sandro,
> Non vedo l'ora di abbracciarti domani all'aeroporto! È da tanto che non ci vediamo! Allora, che cosa ti piacerebbe fare domani sera per festeggiare il tuo rientro? Sarebbe bello andare a mangiare qualcosa al ristorante. Poi potremmo andare in birreria a bere qualcosa e poi pensavo, se non sei troppo stanco, di portarti a ballare in discoteca, proprio come ai vecchi tempi! Fammi sapere, così prenoto il ristorante.
> Paolo

> Cugino mio!!
> Anch'io non vedo l'ora di vederti! Per quanto riguarda il piano che mi hai proposto, quella del ristorante mi sembra un'ottima idea. Ad essere sincero, non ho molta voglia di andare in birreria e a ballare... Ieri mi è arrivata una mail da un gruppo di appassionati di cinema di cui faccio parte: domani sera c'è una conferenza sul cinema italiano contemporaneo proprio a Cinecittà...non posso perderla!! Mi accompagni? Per favore, per favore, deve essere interessantissima...
> Sandro

Sandro

> Ciao Sandro,
> Va bene, va bene, se ci tieni tanto andiamo alla conferenza a Cinecittà, però sabato andiamo a un concerto jazz perché suona Caterina, la collega di cui ti ho parlato. Suona il flauto in un gruppo e ci ha invitati al concerto. Ora ti lascio perché sono in sala riunioni, in ufficio...
> Paolo

Vocabolario

Non vedo l'ora   *I can't wait*

tenerci a qualcosa / qualcuno   *to be keen on something / someone*
  Ci tengo molto ad andare alla festa.   *I'm very keen to go to the party.*

1   Come vuole passare la serata Paolo?

2   Che cosa propone invece Sandro?

3   Di che cosa è appassionato Sandro?

4   Che cosa facevano Sandro e Paolo in passato?

5   Chi è Caterina?

6   Perché Paolo vuole andare al concerto?

B

Leggete il seguente articolo e scegliete le risposte corrette.

Read the following article and choose the correct answers.

I passatempi degli italiani

Secondo dati Istat, dal 1970 al 2004 la spesa delle famiglie italiane in attività ricreative e culturali è triplicata e quella per ristoranti e pizzerie è più che raddoppiata. Ma quali sono quindi i passatempi preferiti degli italiani di oggi?

Un'indagine del Censis del 2005 mette al primo posto la cena al ristorante e in pizzeria, al secondo posto l'attività sportiva in palestra. Non sorprende uno studio dell'Istat del 2007 secondo il quale il numero degli italiani che si dedicano a ginnastica, aerobica, fitness in palestra ha superato quello degli italiani che

giocano a calcio. Il Censis segnala anche come passatempo in costante aumento fare spese in centri commerciali e outlet.

Un'indagine dell'Istat del 2001, vede invece il cinema come uno dei passatempi preferiti degli italiani con il 44,7% di frequentatori assidui. Secondo lo stesso studio il pubblico di concerti e spettacoli di prosa rimane stabile (17,2% della popolazione). Aumentano invece gli italiani che frequentano mostre, musei, monumenti e siti archeologici, un dato molto positivo per il nostro patrimonio culturale e la sua conservazione. Tuttavia, sono sempre di più gli italiani che passano il loro tempo libero davanti alla televisione e sempre meno i lettori di libri e quotidiani.

(Dati presi da www.repubblica.it e www.corriere.it)

Vocabolario

raddoppiare   *to double*

segnalare   *to show, indicate*

costante   *constant*

assiduo   *(here:) regular*

il patrimonio culturale   *cultural heritage*

tuttavia   *nevertheless*

1   (a) Sono sempre meno gli italiani che vanno al cinema.

(b) Sono sempre più numerosi gli italiani che vanno al cinema.

(c) Sono molti gli italiani che vanno al cinema.

2   (a) Mangiare al ristorante e in pizzeria è un passatempo amato dagli italiani.

(b) Mangiare fuori è un passatempo poco amato dagli italiani perché caro.

(c) Gli italiani amano le pizzerie più che i ristoranti.

3 (a) Gli italiani sembrano riscoprire musei, mostre, monumenti e siti archeologici.

   (b) Il numero di italiani che vanno a musei, mostre, monumenti e siti archeologici rimane stabile.

   (c) Gli italiani preferiscono altri passatempi e non frequentano musei, mostre, monumenti e siti archeologici.

4 (a) Sono sempre più numerosi gli italiani che vanno in palestra.

   (b) Sono sempre più numerosi gli italiani che giocano a calcio.

   (c) Il numero degli italiani che giocano a calcio è uguale a quello degli italiani che vanno in palestra.

5 (a) Gli italiani guardano molta televisione, ma leggono anche molto.

   (b) Gli italiani guardano molta televisione e leggono poco.

   (c) Gli italiani leggono molto e guardano poca televisione.

6 (a) Fare spese nei centri commerciali e outlet è un hobby in crescita.

   (b) Fare spese nei centri commerciali e outlet è un hobby in calo.

   (c) Sono pochi gli italiani che frequentano i centri commerciali.

C

Cercate nel testo un sinonimo per le seguenti parole ed espressioni in grassetto.

Find a synonym in the text for each of the following words and expressions shown in bold.

1 **fare** un'attività

2 **andare a** musei e mostre

3 **trascorrere** il tempo

4 **un hobby**

5 **un'inchiesta**

6 in costante **crescita**

D

Ora riflettete brevemente su quello che avete appena letto riguardo ai passatempi preferiti degli italiani. Avete notato qualcosa che non vi sareste aspettati? Uscire a cena è il passatempo preferito anche nel vostro paese d'origine? Scrivete qualche appunto.

Now reflect briefly on what you have just read about Italian people's favourite pastimes. Was there anything different from what you expected? Is going out for a meal also the most popular activity in your own country? Make a few notes.

Cultura e società

Cinecittà

If anyone thought that Hollywood was the only heart of film production, they would be mistaken! Italy has its own film studios called Cinecittà, 'La Hollywood sul Tevere'. The Cinecittà film studios were opened in 1937 just outside the centre of Rome in the presence of Benito Mussolini (dictator from 1922 to 1943), who regarded cinema as a powerful method of propaganda. It was home to the works of the greatest names in Italian

cinema, such as Roberto Rossellini, Vittorio De Sica, Luchino Visconti and Federico Fellini, while also hosting foreign directors such as Mervyn Le Roy (*Quo vadis?*) and William Wyler (*Ben-Hur*). It became a private company in the 1990s, and since then the studios have continued to welcome international productions, such as Martin Scorsese's *Gangs of New York*, Wes Anderson's *The Life Aquatic*, the BBC and HBO series *Rome* and even an episode of *Doctor Who* set in Pompeii! In 2007, a fire destroyed 3000 square metres of Cinecittà and its surroundings, damaging some of the sets. Cinecittà also has sets for TV productions, such as *Il Grande Fratello* (the Italian version of *Big Brother*).

Arranging to get together with friends or family means accepting or turning down invitations and making suggestions. The next few activities practise the appropriate structures and vocabulary for doing so.

Attività 4.3

A

Leggete i seguenti inviti e scrivete in breve qual è l'evento a cui il destinatario viene invitato, come nell'esempio.

Read the following invitations and write briefly what event the recipient is invited to, as in the example.

Esempio

Ciao Maria,

Che cosa fai stasera? Luca e Michelle vengono a casa mia a mangiare una pizza e a guardare un dvd, vuoi venire anche tu? Ci divertiremo sicuramente!! Ti aspetto, fammi sapere!

Baci,
Lidia

Invito: Lidia invita Maria a mangiare una pizza e a vedere un dvd a casa sua.

Vocabolario

ci divertiremo   *future tense form of divertirsi*

1

Ciao Pablo!

Ho appena incontrato Davide e Paolo e mi hanno detto che sabato sera vanno all'inaugurazione di un nuovo discobar, si chiama La Febbre del Sabato Sera. Dicono che l'ingresso è gratuito prima di mezzanotte e che ci sarà spumante per tutti! Che ne dici di andare con loro? Ti va? Fammi sapere, così ci organizziamo.

Baci,

Caterina

2

Ciao ragazzi,

Vi scrivo perché mi sono reso conto che è da un bel po' che non ci vediamo e ho un'idea. Perché non andiamo a prendere un aperitivo insieme venerdì dopo il lavoro? Ho tante novità da raccontarvi! Forza, dai! Ci vediamo in piazza Sant'Anna alle 7?

Saluti,

Federico

3

Carissima Rossella,
                ti scrivo per invitarti all'inaugurazione della mia terza mostra di acquerelli giovedì 23 ottobre presso le Gallerie d'Arte Vinci, via XX Settembre, 27.
Ti aspetto per il buffet e per brindare.
                    A presto   Simone

4

Enrico Sondri e Sara Clerici
annunciano il loro matrimonio
Cremona 15 Maggio 2011.
La cerimonia sarà celebrata
nella chiesa di San Paolo alle ore 11.30.

Enrico e Sara Sondri,
Via Giuseppe Verdi 25,
26100 Cremona

Vocabolario

sarà   *future of essere*

B

Qui di seguito troverete espressioni per fare, accettare o rifiutare un invito o una proposta. Inseritele nella tabella.

Here are some phrases used to make, accept or reject invitations and offers. Put them into the table.

1   Mah, direi di no.

2   No, dai, andiamo a teatro!

3   Mi piacerebbe invitarla al cinema questa sera.

4   Buona idea!

5   Sono desolato, ma non potrò partecipare all'evento.

6   Perché invece non andiamo al mare?

7   Veramente non mi va.

8   Vi ringrazio per l'opportunità, sarà un onore.

9   Andiamo a mangiare una pizza sabato?

10 Perché no!

11 Le sarei grato se mi potesse accompagnare al ricevimento.

Vocabolario

potrò   *future tense of potere*

potesse   *imperfect subjunctive of* potere. *(This tense is not covered in this course.)*

Invitare	
Accettare	
Rifiutare	
Fare un'altra proposta	

C

La tabella qui sotto riporta delle espressioni usate nelle sezioni A e B. Decidete, usando un po' di intuito, se sono formali o informali e completate la tabella segnando le caselle adeguate.

The table below contains expressions from sections A and B. Using your intuition, decide if they are formal or informal and complete the table by ticking the appropriate boxes.

Espressioni	Informale / colloquiale	Formale
Che ne dici di andare con loro?		
Ti va?		
Perché non andiamo a prendere un aperitivo insieme venerdì dopo il lavoro?		
Ci vediamo in piazza Sant'Anna alle 7?		
Le sarei grato se mi potesse accompagnare al ricevimento.		
La cerimonia sarà celebrata nella chiesa di San Paolo.		
Vi ringrazio per l'opportunità, sarà un onore.		
Perché invece non andiamo al mare?		
Sono desolato, ma non potrò partecipare all'evento.		

Attività 4.4

Scegliete uno degli inviti riportati nella sezione A dell'Attività 4.3 e rispondete. Potete accettare, rifiutare l'invito, o fare un'altra proposta – a voi la scelta. Usate le espressioni che avete imparato. (Massimo 90 parole)

Choose one of the invitations in step A of Attività 4.3 and write a response, accepting or rejecting the invitation or making an alternative suggestion – the choice is yours. Use the phrases that you have just learned. (Maximum 90 words)

It is now your turn to write an invitation using the structures that you have learned. Before doing that, bear in mind the following tip.

Suggerimento

Plagiarism and language learning

When working on assignments, you may sometimes want to use your own documentation to provide up-to-date, extra information on a subject you are researching. If so, you should be careful not to present the information you glean from these sources as your own work. Passing someone else's work off as your own is known as plagiarism, which is a serious offence. It consists of using someone else's words and ideas without acknowledgement, often done by copying text word for word and even making minor changes to it.

However, a very different thing is using and recycling language you come across. In learning a new language you are in fact encouraged to use vocabulary and structures not only from the course materials but from any other language resources, whether audiovisual or text-based. Obviously this does not mean 'lifting' chunks of text. By presenting you with numerous examples of how the language is spoken and written, we are trying to prompt you to reproduce them whenever a given context requires. Mastering new language structures and vocabulary in order to use them appropriately is central to your success and does not constitute plagiarism.

Attività 4.5

A

Avete trovato nella cassetta della posta un volantino che pubblicizza una mostra mercato d'arte. Leggete il volantino e completate la tabella sul retro.

You have found a leaflet about an art exhibition-sale in your postbox. Read it and complete the table overleaf.

Mostra mercato d'arte

Ogni prima domenica del mese

Descrizione

È una esposizione di opere d'arte visive, pittoriche e plastiche, che vuole dare spazio a chi è poco conosciuto.

L'intento del presidente dell'associazione Momart, Roberto Callegari, è quello di ricreare l'atmosfera di Montmartre, famosa collina nella zona nord di Parigi, ritrovo per molti artisti.

Quando

Ogni prima domenica del mese, per tutta la giornata.

Dove

piazza Capitaniato – Padova

Per informazioni

Associazione Momart
cellulare 333 9099201
fax 049 8725023
e-mail info@momart.padova.it
sito www.momart.padova.it

(Adattato da www.padovanet.it) [consultato il 14 giugno 2010]

Vocabolario

il ritrovo   *meeting place*

Tipo di evento	
A chi dà spazio	
Perché si chiama Momart	
Quando e dove ha luogo	
A chi può interessare	

B

Scrivete una e-mail ad un gruppo di amici appassionati di arte. Deve contenere i seguenti elementi:

- saluti e apertura;
- informazioni su Momart;
- invito a partecipare insieme all'evento domenica prossima, suggerite un orario e un luogo per incontrarvi;
- saluti e chiusura.

Utilizzate le informazioni contenute nella tabella della sezione A. (100–150 parole)

Write an email to a group of friends who are art lovers, starting the email with greetings, providing information on the Momart event, suggesting going together next Sunday, suggesting a time and place to meet, and ending with greetings. Use the information in the table of step A. (100–150 words)

When you are arranging to meet up, you might want to send a text message to say where you are or what you are doing. The next group of activities will provide you with the language to do so.

Attività 4.6

A

Leggete i seguenti SMS scambiati fra Paolo e Caterina, due colleghi che lavorano nello stesso edificio ma su piani diversi. Completate la tabella con tutti i casi in cui viene usata la struttura 'stare + gerundio'.

Read the following texts between Paolo and Caterina, two colleagues who work in the same building but on different floors. Complete the table with all the instances where the structure 'stare + gerundio' is used.

> **Da: Paolo**
> Cate, che cosa stai facendo?
> Stai lavorando al progetto
> 2435? Prendiamo un caffè?

> **Da: Caterina**
> Sto aiutando Pablo con la fotocopiatrice che ci sta facendo impazzire! Caffè fra 10 minuti?

> **Da: Paolo**
> OK, ti aspetto all'entrata. :-)

> **Da Paolo:**
> Cate, ma dove sei?
> Ti sto aspettando da un quarto d'ora!!
> Mi sto stancando, torno in ufficio.

Stare + gerundio
stai facendo
...

B

Scegliete la risposta corretta fra quelle proposte, utilizzando gli SMS della sezione A per contestualizzare la struttura 'stare + gerundio'.

Choose the correct answer from those suggested, using the text messages from part A to look at the structure 'stare + gerundio' in context.

'Stare + gerundio' indica un'azione...

(a) appena finita.

(b) appena incominciata.

(c) che avviene proprio nel momento in cui si parla.

(d) che è iniziata nel passato e continua nel presente.

Lingua 4.1

Che cosa stai facendo? Stare + gerundio

The construction 'stare + gerundio' is used to express an action that is taking place at the moment of speaking. It is a more immediate way of expressing an action than the present indicative.

Renzo mi scrive ogni mattina una mail.
Renzo emails me every morning.
(every morning)

Renzo **sta scrivendo** una mail.
Renzo is writing an email.
(now, at this moment)

It can be used in the present, as in the examples above, where *stare* is in the present tense, or in the imperfect tense as in the examples below.

Quando mi hai chiamato, **mi stavo facendo** la doccia.
When you rang, I was having a shower.

Stavo guardando la televisione, quando improvvisamente ho sentito un rumore.
I was watching television when I suddenly heard a noise.

As you can see from the English translations of the examples, the construction is the Italian equivalent of English 'I am doing / I was doing'.

The *gerundio* is formed by adding to the stem of the verb:

–ando for verbs ending in *–are*,
e.g. *mangiare → mangiando*

-endo for verbs ending in *–ere*,
e.g. *scrivere → scrivendo*

-endo for verbs ending in *–ire*,
e.g. *dormire → dormendo*

Some exceptions are:

bere → **bevendo**, dire → **dicendo**, fare → **facendo**

G For further information, please refer to your grammar book.

C

Immaginate di essere Caterina, scrivete un SMS a Paolo, spiegando perché non potete incontrarlo. Cercate di usare la struttura 'stare + gerundio'.

Imagine you are Caterina. Write a text message to Paolo, explaining why you can't meet him. Try to use the structure 'stare + gerundio'.

Da: Caterina

Attività 4.7

A

Ora farete un po' più di pratica con 'stare + gerundio'. Guardate i disegni e scrivete una frase per ciascun disegno con 'stare + gerundio'.

Now you can do a little more practice using 'stare + gerundio'. Look at the drawings and write a sentence for each one using 'stare + gerundio'.

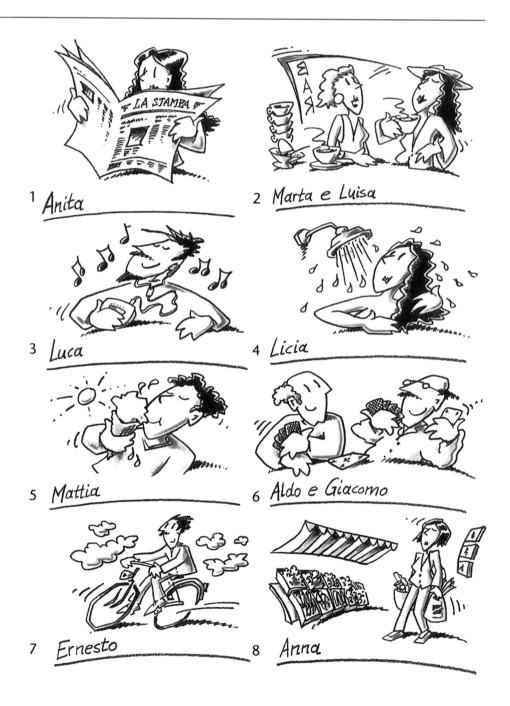

1 Anita

2 Marta e Luisa

3 Luca

4 Licia

5 Mattia

6 Aldo e Giacomo

7 Ernesto

8 Anna

B

Guardate e confrontate i due disegni. Scrivete nella tabella qui sotto che cosa stanno facendo di diverso le persone nel disegno 1 e quelle nel disegno 2, usando la formula 'stare + gerundio'. Le differenze sono nove.

Look at the people in drawings 1 and 2 and compare them. Write down the differences in their behaviour in the table below, using 'stare + gerundio'. There are nine differences.

Disegno 1

Disegno 2

Disegno 1	Disegno 2

Lingua 4.2

Text message abbreviations

Like most languages, Italian has a text messaging code. Not everyone uses it (Paolo and Caterina, for example, do not), but it is certainly popular with teenagers and youngsters. Some people just use the most popular abbreviations.

The main abbreviations are:

x = per

k = ch (ke = che, ki = chi, kiamare = chiamare)

xké, xché = perché

xò = però

nn = non

6 = sei

d6 = dove sei

qta, qto, qst = questa; questo (ci vediamo qta sera = ci vediamo questa sera)

rsp = rispondere

bax = baci

TVB, TVTB = ti voglio bene, ti voglio tanto bene

Here are a couple of examples:

> Da: Luisa
> Ciao!D6?Ke fai?
> Xké nn vieni da Vale
> qta sera x una
> pizza?
> Bax Lu

Translation:

> Ciao! Dove sei? Che fai? Perché non vieni da Vale questa sera per una pizza? Baci Luisa

> Da: Giulio
> Nn posso xké devo
> studiare
> Ke noia!ki viene?xò
> vi kiamo.
> TVTB
> G

Translation:

> Non posso perché devo studiare. Che noia! Chi viene? Però vi chiamo. Ti voglio tanto bene. Giulio

---

Attività 4.8

Provate ora a scrivere la seguente frase con le abbreviazioni usate negli SMS.

Now try to write the following sentence with text message abbreviations.

> Perché non mi rispondi? Dove sei? Perché non ci vediamo? Tardi però, perché devo lavorare.

> Da:

The next activities focus on 'ce l'ho, ce l'hai'. You will also learn useful vocabulary for talking about getting ready for an event or leisure activity.

Attività 4.9

A

Paolo vive con Davide, un fotografo. Leggete i post-it® che i due si lasciano sul frigorifero. Leggete poi le affermazioni e decidete se sono vere o false. Correggete le risposte false riscrivendole.

Paolo lives with Davide, a photographer. Read the post-it® notes that Davide and Paolo exchange on the fridge door. Then read the sentences that follow and decide whether they are true or false. Correct the false statements by rewriting them.

Paolo,
domani ho una cena di lavoro importantissime, mi servirebbero una camicia elegante (possibilmente pulita) e una cravatta sul rosso... ce le hai? Me le presti? Conto su di te, amico mio.
Vuoi sapere se ho il completo?
Ebbene sì, quello ce l'ho.
Un prestito di euro 50 però non guasterebbe... se ce li hai...
Davide

La camicia elegante ce l'ho e te la presto (ed è anche pulita - vedi di non sporcarmela troppo). La cravatta sul rosso non ce l'ho, te la devi comprare e...€50, non ce li ho...
A proposito di soldi, mi devi ancora € 76 di spese!! Speriamo tu vinca alla lotteria... e presto!
Paolo

Vocabolario

Conto su di te.   *I'm relying / counting on you.*

Non guasterebbe.   *It wouldn't do any harm.*

		Vero	Falso
1	Paolo ha una cena di lavoro domani.	☐	☐
2	Davide chiede in prestito una camicia elegante, una cravatta sul rosso e un completo.	☐	☐
3	Paolo non presta €50 a Davide.	☐	☐
4	Davide deve restituire a Paolo dei soldi.	☐	☐

B

Davide e Paolo usano spesso la particella 'ce'. Sottolineate nei due messaggi le frasi con 'ce'. Scegliete poi fra le opzioni quando, secondo te, viene usata questa particella (una sola risposta è corretta).

Davide and Paolo use the particle ce *several times. Underline the instances of* ce *in their messages and then choose which of the options below you think best describes when it is normally used. (There is only one correct answer.)*

1 Si usa 'ce' quando c'è un pronome diretto di terza persona (lo/la/li/le).

2 Si usa 'ce' quando c'è un pronome diretto (mi/ti/lo/la/ci/vi/li/le).

3 Si usa 'ce' quando c'è un pronome diretto di terza persona (lo/la/li/le) e il verbo 'avere'.

Lingua 4.3

Ce l'ho, ce l'hai...

When *lo/la/li/le* are used with the verb *avere*, they are preceded by the particle *ce*. *Ce* is the particle *ci*, which you have studied in Unit 2, which changes into *ce* before the direct pronoun.

- Hai **la macchina**?
- Sì, **ce l'ho**.
- *Do you have the car?*
- *Yes, I've got it.*

- Hai **una penna** per favore?
- Mi dispiace, non **ce l'ho**.
- *Do have a pen, please?*
- *I'm sorry, I haven't got one.*

- Ce li avresti €50 da prestarmi?
- Sì, **ce li ho**.
- *Would you have 50 euros you could lend me?*
- *Yes, I have.*

- Hai **le buste** per inviare i biglietti d'invito?
- **Ce le avevo**, ma non le trovo più.

- *Have you got the envelopes to send the invitations?*
- *I had them, but I can't find them any more.*

As you can see this construction can be used with all simple tenses of the verb *avere*, but not with compound ones. So one would not say '*Ce l'ho avuta*' but simply '*L'ho avuta*'.

Remember that *lo* and *la* are elided to *l'* when followed by a vowel or 'h', but *li* and *le* are not.

Attività 4.10

Piero, un fotografo, e sua moglie Teresa hanno tre nipotini, Stefano, Mafalda e Luca. Hanno deciso di portarli al parco divertimenti per l'intera giornata. Leggete il dialogo e riempite gli spazi vuoti con 'ce + lo/la/li/le + avere'.

Piero, a photographer, and his wife Teresa have three grandchildren Stefano, Mafalda and Luca. They have decided to take them to a leisure park for the day. Read the dialogue and fill in the gaps with 'ce + lo/la/li/le + avere'.

Esempio

Hai una penna?   Sì, *ce l'ho.*

PIERO   Teresa, hai la carta di credito? Non si sa mai, sai come sono i bambini... vogliono bere, mangiare, comprare souvenir in continuazione!

TERESA   Non ti preoccupare, caro, _____ . Tu, piuttosto, hai i panini e le bibite?

PIERO   Sì, _____ . Ho messo tutto nella borsa da picnic. Ho fatto due panini ciascuno e ho portato anche delle merendine.

TERESA   Benissimo, allora abbiamo tutto.

MAFALDA Nonno, nonno! Hai la macchina fotografica? Dobbiamo far vedere le foto alla mamma!

PIERO   No, non _____ . Dov'è?

LUCA   Non ti preccupare nonno, _____ io!

PIERO   Bene, siamo pronti per partire?

TERESA   No, aspetta! Hai le chiavi di casa?

PIERO   Io non _____ . Pensavo ce le avessi tu!

TERESA   Ma chi _____ ?

LUCA   Guarda, nonna, sono ancora attaccate alla porta!

Vocabolario

Non si sa mai.   *You never know.*
la merendina   *(sweet) snack*

Attività 4.11

A

Davide e Piero stanno organizzando l'inaugurazione della loro mostra di foto scattate nei principali teatri italiani. Leggete la lista di cose che Piero e Davide devono fare e completate il dialogo sostituendo le parole sottolineate con 'lo/la/li/le' come nell'esempio.

Davide and Piero are organising the opening of their exhibition of photos taken in important Italian theatres. Read the list of things that Piero and Davide have to do and complete the dialogue, replacing the underlined words with lo/la/li/le as in the example.

> Spostare le foto del Nabucco alla stanza 3
>
> Appendere le foto del Lago dei Cigni alla Scala
>
> Incorniciare le foto dell'Aida all'arena di Verona (stanza 3)
>
> Prenotare i fiori
>
> Ritirare le bottiglie di spumante
>
> Pagare l'impresa di pulizie
>
> Ordinare il buffet
>
> Stampare volantini della mostra
>
> Invitare amici e parenti
>
> Pagare affitto della galleria

Esempio

PIERO   Davide, hai spostato le foto del Nabucco alla stanza 3? C'è più luce e stanno meglio!

DAVIDE   No, non **le ho spostate**. E tu, hai appeso le foto del Lago dei Cigni alla Scala?

PIERO   Sì, _____ due ore fa! Hai incorniciato le foto dell'Aida all'arena?

DAVIDE   Sì, _____ ieri mattina, non ti sei accorto?

PIERO   Bene, bene, siamo a buon punto.

DAVIDE   Non direi proprio! Hai prenotato i fiori per la festa?

PIERO   Certo, _____ stamattina, ora devo andare a ritirare le bottiglie di spumante.

DAVIDE   Non dirmi che hai anche pagato l'impresa di pulizie!

PIERO   Sì, _____! Sono una persona efficiente, io! Hai ordinato il buffet?

DAVIDE   Non ci crederai, ma sì, _____ e ho anche stampato i volantini della mostra.

PIERO   Perfetto. Allora, puoi invitare amici e parenti mentre io vado a prendere lo spumante?

DAVIDE   OK, li invito io. Ah, Piero, hai pagato l'affitto, vero?

PIERO   No, non _____! Mi sono dimenticato!

DAVIDE   Era la cosa più importante!!!

Lingua 4.4

Agreement of the past participle with *lo/la/li/le*

When a verb in the perfect tense is preceded by *lo/la/li/le*, the participle agrees in gender (masculine / feminine) and number (singular / plural) with *lo/la/li/le*.

> Hai letto **il libro**?
> Sì, **l'**ho lett**o**.
> *Have you read the book?*
> *Yes, I've read it.*

> Hai chiuso **le finestre**?
> Sì, **le** ho chius**e**.

> *Did you close the windows?*
> *Yes, I closed them.*

> Hai mangiato **la pasta**?
> No, non **l'**ho mangiat**a**.
> *Have you eaten the pasta?*
> *No, I haven't eaten it.*

The same applies to *ne*.

> Hai assaggiato **un po' di marmellata**?
> Sì, **ne** ho assaggiat**a** un po'.
> *Have you tried a little jam?*
> *Yes, I've tried a little (of it).*

Remember that *lo* and *la* are normally elided to *l'* when followed by a vowel or by the letter 'h', while *li*, *le* and *ne* are not.

With *mi/ti/ci/vi*, it is **optional** to make the participle agree. Both options are correct so the choice is yours, but at least you will be familiar with this if you come across seemingly different uses as in the following examples.

> (*Clea says*:) Giorgio mi ha invitat**a** a vedere l'Aida.
> (*Clea says*:) Giorgio mi ha invitat**o** a vedere l'Aida.
> *Giorgio has invited me to see Aida.*

> (*Mario says to Sara*:) Ti ho salutat**o**.
> (*Mario says to a Sara*:) Ti ho salutat**a**.
> *I said hello to you.*

> Ci hanno invitat**o** a cena.
> Ci hanno invitat**i** a cena. (*if 'we' are mixed male and female or all male*)
> Ci hanno invitat**e** a cena. (*if 'we' are all female.*)
> *They've asked us to dinner.*

> Vi ho chiamat**i** (*or* chiamat**e**, *if 'you' are all female*), ma non c'eravate.
> Vi ho chiamat**o**, ma non c'eravate.
> *I called you but you weren't in / there.*

B

Completate le frasi con 'lo/la/li/le' e con l'ultima lettera del participio.

Complete the sentences with lo/la/li/le and the last letter of the participle.

1. Ieri ho incontrato Marcello e _____ ho invitat__ a cena da noi sabato sera.

2. Sto cercando i miei biglietti per il *Nabucco*. Dove _____ hai mess__?

3. Ci serve la guida della mostra. _____ hai portat__?

4. Sì, è un bellissimo film, pensa che _____ ho vist__ tre volte!

5. Federica? No, non _____ ho ancora chiamat__, ma lo faccio subito.

6. Queste sono le mie foto preferite. _____ ho comprat__ in una galleria d'arte.

Cultura e società

Italy's theatres and opera houses

Real Teatro di San Carlo, Napoli

Teatro Regio di Parma

The Teatro alla Scala in Milan, also known simply as La Scala, was founded at the behest of Empress Maria Theresa of Austria and inaugurated in 1778. The theatre is not only home to a chorus, ballet company and orchestra, but also produces fine artists, thanks to the Accademia Teatro alla Scala which offers training to musicians, singers and ballet dancers, as well as stage designers, costume designers, make-up artists and stage managers. Naples' Teatro San Carlo was built in 1737 by King Charles of Bourbon who wanted to give his capital city a new theatre symbolising his power. It is the oldest working opera house in Europe, which is also home to a prestigious dance academy and children's chorus.

Venice has also its own theatre and opera house, the Teatro La Fenice. Inaugurated in 1792, it was completely destroyed by a fire in 1836 and immediately rebuilt. In 1996 La Fenice was destroyed by fire once again, and two men were charged with arson; the theatre was completely rebuilt and it reopened in December 2003.

An important stage for opera is undoubtedly Verona's amphitheatre, the Arena Romana (shown on page 87), which in the summer hosts national and international lyrical masterpieces. Smaller venues for open-air opera are also popular, such as the Torre del Lago festival by Puccini's house near the Versilian riviera.

(www.teatroallascala.org/, http://www.teatrosancarlo.it/, http://www.arena.it/)

Unfortunately some people don't always behave appropriately, disturbing other people or spoiling their enjoyment. In the following activity you are going to look at good manners in entertainment places such as theatres, cinemas and restaurants. This includes the following language points: the position of *lo/la/li/le* with verb + infinitive, and the relative pronouns *che* and *cui*.

Teatro Politeama Garibaldi, Palermo

Attività 4.12

A

Leggete il seguente testo sulle buone maniere nei luoghi pubblici e sottolineate le frasi che corrispondono ai disegni alla prossima pagina che rappresentano persone maleducate.

Read the following text on good manners in public places and underline the sentences that refer to the drawings on the next page which show people behaving inappropriately.

Luoghi pubblici e buone maniere

Al cinema, a teatro, come in tutti i locali pubblici, il comportamento più corretto è quello che meno fa notare la nostra presenza. Quindi:

Al cinema

- evitiamo commenti e rumori

- se proprio vogliamo mangiare qualcosa, cerchiamo di non far rumore con la carta (il rumore nel silenzio della sala è veramente fastidioso)

- una volta trovata la giusta posizione per la testa cerchiamo di mantenerla senza muoverla continuamente da una parte all'altra

- cerchiamo di non tossire o starnutire, se siamo malati è meglio restare a casa

- quando vediamo comparire sullo schermo una città in cui siamo stati o un monumento che conosciamo, evitiamo di dirlo ad alta voce

A teatro

- è d'obbligo arrivare puntuali, soprattutto per rispetto nei riguardi degli attori

- se arriviamo tardi e le nostre poltrone sono già occupate, aspettiamo la pausa prima di discutere con chi le occupa

Nei musei o alle mostre

- evitiamo di leggere la guida ad alta voce e soprattutto non rimaniamo per ore davanti al quadro più importante

E inoltre

- il telefonino è sicuramente utile, ma forse, nei luoghi pubblici, possiamo spegnerlo per un paio d'ore!

B

Guardate un'altra volta i disegni e collegateli con queste frasi.

Look at the drawings again and match them with these sentences.

1 Ci sono altre persone che vogliono guardare!

2 Evitiamo rumori fastidiosi!

3 Se non stiamo bene, restiamo a casa!

4 Se siamo in ritardo evitiamo di disturbare gli altri.

5 Il cellulare è utile per noi, ma spesso fastidioso per gli altri.

Lingua 4.5

Position of lo/la/li/le with verb + infinitive

Study the following examples and focus on the two summaries offered for each.

Al cinema dovete spegnere i telefonini.

→ **Li** dovete spegnere.

→ Dovete spegner**li**.

You must switch them off.

Posso aprire la finestra della sala?

→ **La** posso aprire?

→ Posso aprir**la**?

Can I open it?

Posso chiamare Giovanna e Lucia domani per una conferma?

→ **Le** posso chiamare?

→ Posso chiamar**le**?

Can I call them?

As you can see from the examples, when a verb (e.g. *dovere, potere, volere*) is followed by an infinitive, the direct object pronoun *mi/ti/lo/la/ci/vi/li/le* can either precede both verbs or be attached to the end of the infinitive. Both options are correct and there is no difference in meaning.

The same applies to the indirect object pronouns *mi/ti/gli/le/ci/vi/gli* (meaning *a me, a te, a lui, a lei, a noi, a voi, a loro*).

Devi telefonare allo zio!

→ **Gli** devi telefonare.

→ Devi telefonar**gli**.

You must phone him.

Attività 4.13

Trasformate le frasi come nell'esempio. Per ogni frase ci sono due alternative corrette.

Transform the sentences as in the example. For each sentence there are two correct alternatives.

Esempio

Devi spegnere il telefonino!

→ Devi spegnerlo.

→ Lo devi spegnere.

1   Non puoi bere tutto quel caffè!
2   Dovete portare i biglietti per entrare!
3   Posso telefonare a Caterina?
4   Devo restituire il programma della mostra.
5   Non devi guardare troppo la televisione!
6   Posso lasciare la macchina qui?
7   Puoi spegnere la radio?

Attività 4.14

A

Leggete il seguente brano sul galateo e trovate nel testo il contrario delle parole ed espressioni sottostanti.

Read the following extract on etiquette and find in the text the opposite of the words and expressions that follow it.

Il galateo

Il galateo è una serie di norme comportamentali che riflettono i canoni della buona educazione. Due sinonimi di galateo sono 'etichetta' e 'bon ton'.

Ci sono regole del bon ton che possono sembrare ovvie: non parlare con la bocca piena, non far rumore mangiando la minestra, non star seduti in modo scomposto a tavola. Altre regole invece possono apparire piuttosto strane: il galateo a volte proibisce categoricamente frasi o comportamenti che la maggior parte delle persone considera invece buona educazione:

— mai dire 'buon appetito' prima di iniziare a mangiare;

— mai dire 'salute' a chi starnutisce.

Negli ultimi anni il galateo sembra essere tornato di moda, esistono libri, siti Internet e anche corsi a cui ci si può rivolgere per migliorare il proprio modo di comportarsi in società.

Esiste ora anche un galateo per l'utilizzo di Internet, la cosiddetta 'netiquette'. Secondo la netiquette, per esempio, quando si scrive una mail è importante non usare le lettere maiuscole (se non quando lo detta l'ortografia), perché lo stampatello grande equivale a 'gridare'.

Vocabolario

la lettera maiuscola   *capital letter*

1	maleducazione	5	fuori moda
2	fare silenzio	6	minuscolo
3	composto	7	corsivo
4	normale		

B

Rileggete il testo e sottolineate i pronomi relativi 'che' e 'cui'. Osservate bene le differenze nel loro uso. Scegliete la risposta giusta.

Go back to the text and underline the relative pronouns che and cui. Look at the differences in their use and choose the correct answer.

1   'Che' è sempre preceduto da un verbo, 'cui' da un nome.

2   'Che' e 'cui' sono intercambiabili, ma 'cui' è più formale.

3   'Cui' è preceduto da 'di/a/da/in/con/su/per/ tra o fra'.

4   'Cui' è sempre preceduto da un nome.

C

Rispondete brevemente alle domande.

Answer the questions briefly.

1   Nel tuo paese esiste il galateo?

2   C'è una regola del galateo che ti sembra particolarmente assurda o ingiusta?

3   Secondo te, ai nostri giorni le buone maniere hanno perso importanza?

4   Quali sono i comportamenti che vi danno più fastidio?

Lingua 4.6

The relative pronouns *che* and *cui*

Che can be used as a subject or as a direct object.

> È il ragazzo **che** abita con me. (*che = subject*)

> La persona **che** mi ha aiutato si chiama Dalia Tommasi. (*che = subject*)

> È un film **che** conosco molto bene. (*che = object*)

Cui, on the other hand, is usually preceded by a preposition (*di, a, da, in, con, su, per, tra, fra*).

> È il ragazzo **con cui** abito.

> È un film **di cui** ti ho parlato.

> La persona **a cui** mi sono rivolto si chiama Dalia Tommasi.

Cui preceded by an article is an equivalent of 'whose / of which'.

> La ragazza, **i cui genitori** hai conosciuto ieri, si chiama Lara.

> Il libro, **il cui titolo** non mi ricordo in questo momento, è un grande successo letterario.

Note: *In cui* can be replaced by *dove* when it refers to a place.

> La città **in cui** sono nato è Catanzaro.

> La città **dove** sono nato è Catanzaro.

D

Scegliete il pronome relativo corretto e completate le seguenti frasi. (Potete usare i pronomi dati più di una volta.)

Choose the correct relative pronoun and complete the following sentences. (You can use the same pronoun more than once.)

Esempio

La palestra è il luogo in cui andiamo per tenerci in forma.

che • di cui • da cui • a cui • in cui • per cui • con cui

1   Il telefonino è un oggetto _____

2   Il cinema è un posto _____

3   Arrivare tardi a teatro è un comportamento _____

4   La pausa è un momento _____

5   Fare rumore con la carta al cinema è una cosa _____

6   Il galateo indica il modo migliore _____

Attività 4.15 _____

A

Completate le seguenti frasi con 'che' o 'cui' (preceduto dalla preposizione adeguata).

Fill in the gaps with che *or* cui *(preceded by a suitable preposition).*

1   Sandro è il cugino di Paolo _____ vive in Danimarca.

2   Caterina è la ragazza _____ lavora Paolo.

3   Davide è il ragazzo _____ abita con Paolo.

4   Stefano preferisce la pizza _____ ha mangiato nell'altra pizzeria.

5 Caterina è una persona _____ Paolo pensa spesso.

6 Questa è la macchina fotografica _____ ci hanno regalato i nonni.

7 Francesco, quello è il critico _____ ti ho parlato.

8 Michela è l'amica _____ scrivo più spesso.

9 È lo stesso ristorante _____ siamo stati la settimana scorsa.

10 Il San Carlo è il teatro _____ ho debuttato.

B

Collegate le seguenti frasi con 'che' o 'cui' come nell'esempio.

Connect the following sentences with che *or* cui *as in the example.*

Esempio

Il teatro è il San Carlo. Siamo stati ieri a teatro.

Il teatro in cui siamo stati ieri è il San Carlo.

1 La signora è la moglie del signor Piero, il famoso fotografo. Ti ho presentato la signora.

2 Caterina è la collega di Paolo. Caterina suona il flauto.

3 Paolo e Caterina sono i miei migliori amici. Ti ho parlato molto spesso di Paolo e Caterina.

4 Il film è stato girato a Cinecittà. Andiamo a vedere il film.

5 Il fotografo è bravissimo. Sto telefonando al fotografo.

6 Che ne dici di andare al ristorante? Abbiamo mangiato al ristorante la settimana scorsa.

In this final activity you have the opportunity to write about good and bad manners to put into practice everything you have learned in the unit.

Attività 4.16

In questa unità avete imparato a fare, accettare, rifiutare un invito, fare proposte e a parlare di attività ricreative. Avete anche approfondito il tema dell'educazione e della maleducazione nei luoghi pubblici e di divertimento. Scrivete ora un breve testo nel quale raccontate alcuni episodi di maleducazione a cui avete assistito, mentre eravate in compagnia di amici o parenti (per esempio al cinema, a teatro o in un ristorante). (150–250 parole)

In this unit you have learned to make, accept and reject invitations, to make suggestions and to talk about social and cultural activities. You have also explored the theme of good and bad manners in public places. Write a short text in which you describe episodes of bad manners you have witnessed while in public places with friends and family. (150–250 words)

Bilancio

Key phrases

Che cosa fai sabato sera?

Che cosa ti piacerebbe fare sabato sera?

| Ti va | di andare al cinema? |
| Hai voglia di | |

– Che ne dici di andare a ballare? Sarebbe bello andare al ristorante. Poi potremmo andare in birreria.
– Sì, volentieri. / Buona idea!

Perché invece non andiamo a teatro?

No, dai, andiamo a fare una passeggiata!

Mi dispiace, ma ho già un impegno.

Veramente non mi va.

Ti / La vengo a prendere.

– I biglietti ce li hai tu?
– Sì, li ho presi io.

Here are some ideas and suggestions on how to organise what you have studied in this unit. You may wish to do all the activities or to select those that are particularly relevant to you in reinforcing your learning.

Memorising keywords and structures

To keep a note of and memorise the keywords and structures from this unit, try the following activities.

1   Make a list of vocabulary related to the theme of social and cultural activities. Try to include activities using verbs + nouns (e.g. *andare al ristorante*). You can use the categories shown in the mind map below (in town, outdoors, at somebody's house) or other categories if you prefer.

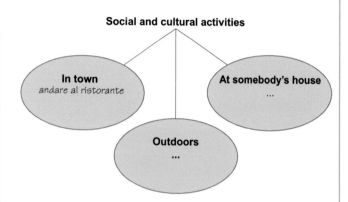

2   Write model sentences to: (a) make an invitation; (b) accept an invitation; (c) reject an invitation. Include as many different phrases for each as possible.

3   In the course of a day, stop and describe what you are doing at that moment using *stare* + *gerundio*. Write it down or record yourself each time if you can.

4   How confident are you about the grammar points seen in this unit? First do a simple evaluation:

	☺	😐	☹
Expressing possession using *ce* + *lo/la/li/le* + *avere*			
Agreement when *lo/la/li/le* are used with the perfect tense			
The position of direct and indirect object pronouns with verb + infinitive			
Che and *cui*			

If you can work out what has helped you to become confident about certain aspects of grammar, you may be able to use this knowledge to improve your level of proficiency with other grammatical features.

For those grammar points you are confident about, can you say why this is?

- Have you used them more frequently? ☐

- Have you devised a good method for becoming proficient with them? ☐

- Do they seem more logical or straightforward? ☐

For those grammatical features you are less confident about, try to work out why this might be.

- Did you find the explanation unclear and not fully understand the grammar point? ☐

- Do you need to find a way to learn the forms or the rules? ☐

- Do you need more practice in using the correct grammatical forms in natural language? ☐

Now try to find a solution to each obstacle you have identified.

- You could try reading the grammar explanation and doing the activities again. You might also like to refer to your grammar book or ask your tutor. Or you could try writing an explanation in your own words and checking it against the examples given.

- You could try writing your own sentences using each grammar point and learn that rather than an abstract rule or decontextualised forms.

- If you are part of a self-help group, you could ask the group to help you practise that particular point.

Are there any strategies or techniques you can use that you have found helpful in becoming confident with other aspects of grammar?

Cultura e società

What features of Italian society have you learned about in this unit?

Do people engage in similar social and cultural activities in your own country? Have you noticed any differences? Do you think that all sections of society engage in the same type of activities?

Buon viaggio

This unit looks at where Italians go on holiday and their changing holiday habits. You can read and write about personalised holiday experiences in blogs and holiday diaries, and read about travel and journeys in general. There are cultural texts on the development of the *agriturismo* business, the *villaggio turistico* and popular Italian holidays, cultural events and festivals.
Buon viaggio!

Key learning points

- Talking about travel and tourism
- Talking about past journeys, using the perfect and imperfect tenses
- Talking about how long something takes (*ci vuole, ci mette*)
- Using past tenses of *dovere, potere, volere*
- Expressing 'good', 'better', 'best' (forms of *buono*, comparative and superlative of *buono, bene*, etc.)
- Expressing a reaction (using exclamations such as *Che peccato!, Beati loro!*)

Study tips

- Learning how to look at language closely
- Collecting and organising ideas for a written text

Culture and society

- *Il villaggio turistico*
- *Agriturismo* in Italy
- *Ferragosto*
- Cultural events and festivals

Overview of *Unità 5*

Attività	Themes and language practised
5.1–5.4	Changing holiday habits in Italy; vocabulary related to travel and holidays.
5.5–5.8	*Il villaggio turistico; agriturismo;* forms of *buono.*
5.9–5.12	*Ferragosto;* exclamations using *che; buono–migliore–il/la migliore* (comparative and superlative forms of *buono*) and *bene–meglio–il meglio* (comparative and superlative forms of *bene*); consolidating the use of past tenses for talking about what people did.
5.13	Journeys, time taken and different means of transport: *ci vuole / ci vogliono, ci mette.*
5.14–5.15	Holiday diary, blogs, personalised account of travels; perfect and imperfect tenses.
5.16	Cultural events and festivals; past tenses of *dovere, potere* and *volere.*
5.17	Writing a diary or blog entry about a holiday.
Bilancio	Check your progress; further study tips.

The first group of activities looks at changing holiday habits in Italy. A holiday questionnaire will provide you with vocabulary related to travel and holidays.

Attività 5.1

A

Secondo voi, cosa fanno e dove vanno gli italiani in vacanza? Scrivete qualche appunto!

What do you think Italians do on holiday and where do they go? Write a few notes!

B

Leggete il testo seguente, poi leggete il riassunto del testo, quindi individuate e spiegate gli errori.

Read the following text, then read the summary of the text which follows, and spot and explain the mistakes.

Le vacanze degli italiani

Gli italiani, in genere, trascorrono le vacanze in famiglia. L'unica eccezione sono i giovani che viaggiano con gli amici o fanno delle vacanze-studio all'estero senza i genitori.

Durante il periodo di Natale molti italiani scelgono di rimanere a casa e passare le feste in famiglia. Per chi parte, invece, le mete preferite sono le località sciistiche nelle Dolomiti, nelle Alpi e negli Appennini.

Nel mese di agosto, invece, partono 14 milioni d'italiani. Le scuole sono chiuse, chiudono per ferie molte fabbriche e molti uffici e le grandi città sono deserte. D'estate gli italiani preferiscono le località balneari e vanno prevalentemente verso il Sud o le isole. Il maggiore esodo si verifica il primo weekend di agosto, da Roma (500.000 partenze), Milano (300.000), Torino (180.000), Genova e Bologna (90.000).

Andare in vacanza d'estate significa per gli italiani prendere la macchina e passare due o tre settimane in una località diversa da quella di residenza. Gli italiani non amano cambiare le loro abitudini ed hanno quindi bisogno di trasportare in vacanza una parte della loro vita quotidiana e magari anche di trovarsi con lo stesso gruppo di amici.

In genere gli italiani scelgono tra quattro possibili sistemazioni:

– la seconda casa

– la casa o l'appartamento in affitto

– l'albergo o l'agriturismo

– il campeggio

Molte famiglie possiedono una 'seconda casa', una casa per le vacanze al mare o in montagna, altre prendono in prestito la casa di parenti o amici e i più coraggiosi si avventurano in uno scambio di casa.

Alcuni italiani invece prendono una casa o un appartamento in affitto per quindici giorni o anche un mese. Durante i mesi estivi gli affitti sono carissimi e l'unico modo di risparmiare è quello di dividere la casa con parenti o amici.

L'albergo o l'agriturismo – in genere la camera con 'mezza pensione' (pranzo o cena) o 'pensione completa' (pranzo e cena) – è una sistemazione facile per chi non vuole preparare i pasti ma, in genere, non è una soluzione economica.

Chi preferisce andare in campeggio può portare la propria roulotte, il camper o la tenda e scegliere un campeggio vicino al mare, ad un lago o in montagna.

La scelta del luogo di villeggiatura dipende sia dall'età delle persone sia dalle risorse economiche. Per i giovani, le località come Rimini e Riccione sulla costa adriatica, con tanti locali, pub e discoteche, offrono una vita notturna intensa. I posti più tranquilli vengono preferiti invece dalle famiglie con bambini piccoli o dalle persone che hanno bisogno di riposo.

(Adattato da www.italica.rai.it/principali/lingua/cultura/le_ferie.htm) [consultato il 15 luglio 2010]

Vocabolario

l'esodo (m.) *the exodus from cities and towns during holiday periods*

lo scambio *exchange*

la sistemazione *accommodation*

la roulotte *caravan*

i locali *nightclubs, clubs, venues*

Riassunto del testo 'Le vacanze degli italiani'

Gli italiani, in generale, trascorrono le vacanze da soli o con amici. Durante il periodo di Natale molti italiani vanno ai Caraibi dove possono prendere il sole e fare i bagni.

Nel mese di agosto, partono 13 milioni d'italiani. Vanno alle località balneari al nord dell'Italia. Il maggiore esodo si verifica da Napoli e Taranto.

Gli italiani preferiscono passare le vacanze in una località vicina a quella di residenza. Gli italiani non amano cambiare le loro abitudini e preferiscono passare la vacanza con lo stesso gruppo di amici.

In genere gli italiani preferiscono la sistemazione in albergo o agriturismo.

Prendere una casa o un appartamento in affitto è una sistemazione molto economica. Andare in agriturismo non è la sistemazione ideale per chi non vuole cucinare.

Gli italiani che vanno in campeggio non possono portare la propria roulotte, devono affittare la roulotte o il camper.

Rimini e Riccione sono posti tranquilli che vanno bene per le famiglie con bambini piccoli.

C

Trovate nel testo la traduzione delle seguenti espressioni.

Find in the text the translation of the following words.

1	destination	5	house swap
2	holidays (not 'vacanze')	6	full board
3	beach resorts	7	camper van
4	everyday	8	nightlife

Vita notturna a Cagliari, Sardegna

D

Collegate i sostantivi e gli aggettivi che hanno la stessa origine. (Non tutte le parole si trovano nel testo.)

Match the nouns and adjectives which have the same origin. (Not all the words are from the text.)

1	estate	(a)	balneare
2	bagno	(b)	giornaliero
3	notte	(c)	notturno
4	economia	(d)	economico
5	giorno	(e)	estivo

Attività 5.2

A

Leggete il testo e scegliete la percentuale corretta per ogni elemento (alla prossima pagina).

Read the text and select the appropriate percentage for each point (on the next page).

I viaggi degli italiani

L'Istat ha diffuso mercoledì 18 febbraio il suo 'Rapporto su viaggi e vacanze in Italia e all'estero' relativo al 2008. Nonostante tutto, gli italiani nel 2008 hanno viaggiato più che nell'anno precedente. Si parla di un incremento pari al 9,4% rispetto al 2007.

In tempi di cinghie strette, insomma, gli italiani non rinunciano ai viaggi. Cambia magari la tipologia, la meta scelta e la durata del viaggio stesso, ma i dati parlano chiaro. Particolarmente rilevante poi, per quanto riguarda il 2008, la crescita di vacanze di tipo breve (da una a tre notti).

Altro dato interessante è quello che riguarda la durata delle vacanze italiane: il 41,4% dei viaggi sono viaggi lunghi – pari o superiori alle quattro notti fuori – mentre il 45,5% dei viaggi sono viaggi brevi. La scelta di soggiorni più brevi, ovviamente, favorisce destinazioni italiane invece delle mete più lontane.

Gli italiani prendono confidenza con il computer e fanno aumentare le prenotazioni effettuate via Internet, che passano dal 18,8% del 2007 al 21,4% del 2008.

Cresce anche il tentativo di evitare spese per l'albergo: l'utilizzo di abitazioni di parenti o amici è salito al 60,7% dei pernottamenti, rispetto al 39,3% registrato dalle strutture alberghiere.

L'Istat ha anche analizzato la scelta delle mete da parte degli italiani. In aumento la scelta delle località italiane: l'83,9% dei viaggi effettuati dagli italiani nel 2008 ha avuto quindi come destinazione una città italiana, mentre il 16,1% ha scelto invece località straniere.

Nella lista delle regioni scelte dagli italiani per i loro soggiorni, brevi o lunghi, nessuna sorpresa: Lombardia, Lazio, Toscana, Emilia Romagna e Veneto rimangono le mete preferite e più visitate. Infine, un vero e proprio boom nel 2008 si è registrato nell'ambito dei soggiorni per motivi religiosi: +40,4% rispetto al 2007.

(Adattato da www.fondazioneitaliani.it) [consultato il 31 gennaio 2010]

Vocabolario

rispetto a	*compared to*
insomma	*in other words*
rinunciare	*to give up, forgo*
magari	*maybe, perhaps*
il tentativo	*attempt*
da parte di	*by*

1	The increase in the number of Italians who travelled in 2008 compared to 2007	9%	19%	9.4%
2	Short breaks (1–3 nights)	44%	45%	45.5%
3	Bookings made online	18.8%	21.4%	38.5%
4	Holidays using friends' or relatives' house	60.7%	39.3%	21.4%
5	Holidays in Italy	83.9%	16.1%	10.4%
6	Increase in religious tourism	40.4%	44%	6.3%

B

Collegate le espressioni a sinistra con quelle prese dal testo elencate a destra.

Match the expressions in the left hand column with the expressions taken from the text in the right hand column.

1	L'Istat ha pubblicato la sua relazione	(a)	in tempi di cinghie strette
2	in una situazione economica difficile	(b)	le mete preferite
		(c)	L'Istat ha diffuso il suo rapporto
3	le destinazioni scelte	(d)	cresce
4	aumenta	(e)	trascorso
5	abitazioni	(f)	si è registrato
6	passato	(g)	case
7	c'è stato		

Attività 5.3

Leggete i due messaggi estratti dal forum *Viaggi Corriere della Sera*. Usando il lessico di questi messaggi e delle attività precedenti, scrivete un nuovo messaggio in italiano per il forum con i vostri consigli per una 'micro vacanza' nel vostro paese. (50–75 parole)

Read these two postings on the Viaggi Corriere della Sera *online forum. Using the vocabulary in these messages and the previous activities, write a new forum posting in Italian giving your own recommendation for a short break holiday in your own country. (50–75 words)*

Potete iniziare così:

Io invece ti consiglierei…

La micro-vacanza

Ciao a tutti, mi affido alla comunità del Web per un consiglio sulle vacanze estive: non so se avrò ferie vere e proprie quindi pensavo di prendermi dei weekend lunghi… non ho preferenze specifiche sul posto… va bene mare, montagna e soprattutto città d'arte sia in Italia che all'estero… facendo più weekend pensavo di fare tante micro-vacanze diverse tra loro!… però ovviamente non voglio spendere delle cifre troppo alte…

L'ideale sarebbero città carine da scoprire, mete europee un po' alternative… chi mi aiuta???

Io ti consiglierei le coste della Puglia ed in particolare il Gargano. Se puoi, scegli Vieste, ci sono tante ottime strutture. Io ho soggiornato al Villaggio Sant'Andrea, piccolo residence vicinissimo al mare molto accogliente ed a conduzione familiare. Ci sono molti villaggi a Vieste e con molte offerte per le famiglie.

(Adattato da http://forum.viaggi.corriere.it/viewtopic.php?f=1&t=4977) [consultato il 10 febbraio 2010]

Vocabolario

affidarsi a   *to put one's trust in*

la conduzione   *management*

scoprire   *to discover*

le strutture   *facilities*

il residence   *residential holiday complex*

accogliente   *welcoming*

Attività 5.4

A

Completate il questionario sulle vacanze scegliendo le vostre preferenze.

Complete this holiday questionnaire by choosing your personal preferences.

1   Di solito quante volte all'anno andate in vacanza? E quando?

- Una volta all'anno ☐
- Più volte all'anno ☐
- In primavera ☐
- In estate ☐
- In autunno ☐
- In inverno ☐
- Dipende ☐

2   Con chi ci andate generalmente?

- Da soli ☐
- Con la famiglia ☐
- Con amici ☐
- In gruppo ☐
- Altro ☐

3   Preferite i viaggi...

- organizzati? ☐
- individuali? ☐

4   Quale mezzo di trasporto scegliete di solito?

- Auto privata ☐
- Aereo ☐
- Nave ☐
- Treno ☐
- Auto a noleggio ☐
- Bicicletta ☐
- Camper ☐
- Motocicletta ☐

5   Che tipo di sistemazione preferite?

- Albergo ☐
- Agriturismo ☐
- Campeggio (camper o tenda) ☐
- Appartamento ☐

6   Prima di partire...

- vi informate esattamente su quello che volete visitare? ☐
- comprate tante guide ma non ne leggete neanche una? ☐
- vi informate presso amici che conoscono già i luoghi che volete visitare? ☐
- Altro. ☐

7   Quando partite...

- avete sempre molti bagagli? ☐
- vi basta una valigia? ☐
- preferite viaggiare con lo zaino? ☐

8   Oltre ai vestiti, in vacanza portate sempre
con voi:

- libri ☐
- sacco a pelo ☐
- guide turistiche ☐
- cellulare ☐
- ombrello ☐
- diario di viaggio ☐
- macchina fotografica ☐
- videocamera ☐

9   La vacanza per voi significa...

- sole, mare, spiaggia e tranquillità
  (prendere il sole,
  nuotare, leggere, riposarsi). ☐

- movimento, sport, divertimento
  (fare sport, uscire la sera, andare in
  discoteca). ☐

- conoscere altre culture e altre
  tradizioni (visitare luoghi di interesse
  artistico-culturale). ☐

- avventura (provare cose nuove,
  conoscere luoghi esotici). ☐

- Altro. ☐

B

Basandovi sulle vostre risposte al questionario,
scrivete un riassunto breve delle vostre preferenze
specificando cosa vi piace e cosa non vi piace.
(75–100 parole)

*Using your responses to the questionnaire, write a
brief summary of your preferences, saying what you
like and what you don't like. (75–100 words)*

Potete iniziare così:

Non mi piacciono le vacanze organizzate. ...

This second group of activities looks at different
kinds of tourism and holidays in Italy: *villaggi
turistici* and *agriturismo*. You will also work
on the different forms of *buono* and some
colloquial exclamations.

Cultura e società

Il villaggio turistico

Many Italians like to holiday in a 'tourist village'
or *villaggio turistico*. These hotel/apartment
complexes, offering an affordable holiday
(particularly out of season) for people of all
ages and backgrounds, account for 30% of the
holidays sold by Italian tour operators. Their
popularity is due to several factors: the price
you pay is inclusive of accommodation, meals
and most activities; there are no hidden extras;
they are generally in good locations by or
near the sea; they offer a range of activities for
both adults and children such as windsurfing,
canoeing and tennis, as well as evening
entertainment (*animazione*) sometimes;
they offer flexibility and the freedom to take
part in excursions or just to relax; and lastly,
they offer the chance to socialise with other
holidaymakers and eat familiar (in other words,
Italian) food. One of the best known *villaggi*
operators in Italy is Valtur.

Attività 5.5

Leggete i testi e fate un riassunto in italiano delle differenze principali tra la descrizione dei villaggi sul catalogo e la recensione fatta dai clienti sul sito delle recensioni. (75–100 parole)

Read the texts and summarise in Italian the main differences between the description of the village resorts in the brochure and the reviews of them posted by customers on the travel review site. (75–100 words)

Esempio

Il catalogo descrive un ristorante che si affaccia direttamente sull'acqua. Invece nella recensione c'è scritto che il villaggio non si affaccia sul mare.

L'ambiente

il villaggio si affaccia direttamente sull'acqua…

(Catalogo)

Il villaggio non si affaccia sul mare e pertanto la spiaggia era raggiungibile solo attraverso un tragitto esterno.

(Recensione)

La cucina

Al Village Resort il servizio è a buffet: il menù, studiato dagli chef per deliziare gli ospiti con il meglio della tradizione italiana, prevede serate dedicate alla cucina internazionale, ai sapori locali e alle gustose specialità di pesce.

Cucina – buona ma ripetitiva – per una settimana sempre la stessa roba... ! La colazione mi ricordava una pensione a due stelle di Rimini.

Attività sportive

… circondati da un meraviglioso paesaggio, gli ospiti possono praticare gli sport preferiti. Vela. Catamarani. Windsurf. Canoa. Beach volley. Fitness program. Tennis. Calcetto. Bocce.

Purtroppo le strutture sportive si trovavano a 10 minuti di bus in un centro sportivo locale: le strutture erano anche scarse rispetto al numero di ospiti.

Flessibilità e libertà

un buon villaggio, che ti offre contemporaneamente la possibilità di rilassarti davanti ad un bel mare o di partecipare alle attività organizzate dagli animatori.

Mancanza completa di aria condizionata in tutto il villaggio (camere e ristorante compresi) ... animazione svogliata, spiaggia molto scomoda da raggiungere e non attrezzata. Non è certo un villaggio a cinque stelle come da catalogo.

Vocabolario

prevedere   *to provide for, include*

il tragitto   *ride, trip*

l'animazione *(f.)   entertainment*

svogliato,-a   *unenthusiastic, lacklustre*

Attività 5.6

Paolo ha passato le vacanze in un villaggio turistico. Completate il racconto di Paolo trasformando i verbi tra parentesi al tempo giusto (passato prossimo o imperfetto).

Paolo spent his holidays in a villaggio turistico. Complete his account of his holiday by changing the verbs in brackets to the correct tense (perfect or imperfect).

Caro Giacomo

Come stai? Sei tornato dalle ferie? Io sì! Quest'anno per la prima volta in vita mia – c'è sempre una prima volta, anche a 30 anni! – (decidere) _____ di andare in vacanza in un villaggio turistico e beh, sai... devo dire che (trovarsi) _____ proprio bene. Sono andato con un gruppo di amici – un misto di 'single' e coppie. Per sette giorni, (fare) _____ sport, (conoscere) _____ tanta gente simpatica e (riuscire) _____ anche a riposarmi un po': che vuoi di più?!

Il villaggio (essere) _____ vicinissimo al mare, i bungalow (essere) _____ molto puliti e la cucina (essere) _____ non solo molto buona, ma anche varia. Non come a casa mia dove mangio sempre i piatti pronti del supermercato! (Esserci) _____ addirittura dei piatti per le persone vegetariane.

Come sai, a me piace stare da solo, non sono un grande frequentatore della vita mondana. Una cosa che mi (piacere) _____ molto è che non (noi, essere) _____ costretti a partecipare alle varie attività. Chi (volere) _____ , (potere) _____ andare in spiaggia e restarci anche tutto il giorno. Io (partecipare) _____ a molte attività e mi sono anche divertito; in dieci giorni (imparare) _____ a fare surf e a ballare la salsa, cose che non avrei mai pensato di fare in vita mia!!

Vocabolario

riposarsi   *to rest*

mondano,-a   *social*

Attività 5.7

A

Leggete l'annuncio publicitario qui sotto e individuate nel testo le varie forme di 'buono'.

Read the advertisement below and pick out the different forms of buono *in the text.*

L'agriturismo Sorgituro, Postiglione

Cercate un buon agriturismo in provincia di Salerno?

C'è un agriturismo nel Parco Nazionale del Cilento dove potete gustare della buona cucina...

E dei buoni vini...

Dove si respira un'aria di montagna...

Dove si possono assaggiare delle buone specialità locali...

Dove di giorno potete andare a cavallo o fare le passeggiate in montagna...

Dove di notte potete dormire tranquilli...

Agriturismo Sorgituro, Postiglione, Salerno

'Io mi sono trovata benissimo in questo posto e sicuramente ci tornerò! Il Parco Nazionale del Cilento è decisamente il posto ideale per *un soggiorno rilassante e l'agriturismo Sorgituro è un'ottima base per raggiungere facilmente località di interesse turistico.'*

Vocabolario

ottimo,-a   *excellent*

Lingua 5.1

Buono

The singular forms of *buono* depend on the initial letter of the word that follows, in the same way as *un, uno, una* and *un'* do:

MASCULINE SINGULAR

un **buon** ristorante	*before a consonant except those in the third row below*
un **buon** albergo	*before a vowel*
un **buono** studente	*before gn, pn, ps, z, s + consonant, and i or y before another vowel*
un **buono** yogurt	

FEMININE SINGULAR

una **buona** persona	*before a consonant*
una **buon**'idea	*before a vowel (optional but common)*

PLURAL

buoni spaghetti	*-i for masculine*
buone tagliatelle	*-e for feminine*

Buono is often used in expressions wishing someone well, such as 'Happy Christmas', 'Have a nice walk', etc.

Buon viaggio!	*Have a good journey!*
Buono studio!	*Study well!*
Buona passeggiata!	*Have a nice walk!*
Buone vacanze!	*Have a nice holiday!*

B

Completate le frasi scegliendo la forma corretta di *buono*.

Complete the sentences choosing the correct form of buono.

Esempio

_____ passeggiata!

Buona passeggiata!

1   Ciao Paolo, _____ anno!

2   Mm, le tagliatelle fatte in casa, _____ appetito, ragazzi!

3   _____ Natale a tutti, ci vediamo dopo le feste!

4   _____ Pasqua, mi raccomando non mangiate tutte le uova di cioccolato, bimbi!

5   _____ fine settimana, ci vediamo lunedì.

C

Scrivete la forma corretta di 'buono'.

Write the correct form of buono.

1   un _____ specchio

2   una _____ occasione

3   una _____ strada

4   dei _____ cannelloni

5   delle _____ tagliatelle

Cultura e società

Agriturismo

The term *agriturismo* is used both to refer to the farm holiday industry in general and for individual farm holiday businesses. This form of holiday accommodation started in a casual way with farmers offering informal hospitality to visitors from the towns. In the 1950s, with farming in crisis, it was seen as a solution to economic problems, as it still is today. The association *Agriturist* (*Associazione Nazionale per l'Agriturismo, l'Ambiente e il Territorio*) was set up in 1965 to promote and safeguard agritourism and the first law supporting it was passed in 1973. The first agritourism guide, *Guida dell'Ospitalità Rurale*, listing 80 businesses, was published in 1975, and tax incentives and subsidies encouraged farmers to set up *agriturismo* businesses until by 2001 there were over 10,000, by far the largest number being in *Trentino Alto Adige* (2,500),

Ricotta con miele

Tuscany (2,100) and *Veneto* (730). While most *agriturismi* offer accommodation, either self-catering or with breakfast and/or meals, a few only offer meals or sell farm products. Staying in an *agriturismo* can be a good way to enjoy nature, home cooking and local produce. It will not necessarily be cheaper than staying in a hotel but will certainly offer a more genuine rustic experience.

Attività 5.8

A

Cercate un agriturismo in Internet per un vostro amico. (Scegliete voi la zona e i criteri di ricerca.) Potete usate i particolari qui sotto come modello.

Look for an agriturismo *on the internet for a friend. (Choose the area and the search criteria yourself.) You can use the details below as a model.*

Agriturismo Sorgituro
Numero di camere: 6 (tutte matrimoniali con bagno)
Proprietario: Letizia Braggio
Ubicazione: Postiglione (provincia di Salerno)
Sistemazione: mezza pensione o pensione o camera con colazione
Tariffa: 60 euro a notte
Servizi: biciclette per ospiti.
Altro: posteggio per camper
Prodotti: miele, piatti regionali, latticini regionali
Gestione familiare
Terrazza e sala interna

B

Scrivete un'e-mail al vostro amico descrivendo l'agriturismo che avete trovato per lui, basando la descrizione sui vostri appunti. (100–150 parole)

Write an email to your friend, describing the agriturismo that you have found for him, basing your description on your notes. (100–150 words)

In the next few activities, you can read about *Ferragosto*, one of the most important days in the Italian calendar, learn exclamations using *che*, study the comparative and superlative forms of *buono* and *bene*, and consolidate the use of past tenses for talking about what people did.

Cultura e società

Ferragosto

Even for those who have stayed in town during the summer, there is one day when almost everyone heads out to the countryside, hills or mountains, seaside or simply to family and friends. *Ferragosto* is Italy's most popular holiday, held on 15th August, the word deriving from the Latin *Feriae Augusti* (August holidays). Originally a religious festival to celebrate the Assumption of the Virgin Mary, it is now a major national holiday, when shops, restaurants and offices are closed, even in tourist areas. People often go for a picnic lunch or *grigliata* (barbecue), although in recent years there has been a tendency to celebrate the evening before as well, with fireworks, etc. *Ferragosto* also marks the beginning of the *rientro*, the turning point during the summer when some holidaymakers go back to the city after a fortnight's break while others stay on until the end of August.

Attività 5.9

A

Leggete i messaggi qui sotto estratti da un forum femminile e indicate chi ha fatto che cosa a Ferragosto. Per ogni risposta ci può essere più di un nome.

Read the postings below from an online forum and say who did what on Ferragosto. *For each reply there can be more than one name.*

1 Chi ha festeggiato Ferragosto al mare?

2 Chi ha festeggiato Ferragosto in montagna?

3 Chi ha festeggiato con amici?

4 Chi ha festeggiato con i familiari?

Cristina

Lucia

Manuela

Gloria

Beatrice

Francesca

Giusi

Che cos'avete fatto per Ferragosto l'anno scorso?

Io e mio marito di solito festeggiamo in compagnia di amici. Ci spostiamo una volta a casa di uno, una volta dell'altro. Quest'anno l'abbiamo fatto a casa di un'amica che stava ristrutturando la casa – che disastro! Siamo rimasti senza acqua e senza luce! (**Manuela,** 34 anni, Genova)

Abbiamo fatto il pesce alla griglia. Che buono! (**Giusi,** 27 anni, Pisa)

Siamo andati con gli amici sulla spiaggia dove abbiamo acceso il falò e abbiamo fatto il bagno a mezzanotte. Che fredda l'acqua! (**Lucia,** 35 anni, Orbetello, Grosseto)

Che bello il falò sulla spiaggia però!! Noi invece siamo andati a pranzo in un agriturismo... abbiamo mangiato in terrazza. Che caldo che faceva! (**Cristina,** 46 anni, Manciano, Grosseto)

Il 14 sera siamo andati con amici a vedere i fuochi sul mare e il 15 siamo usciti a pranzo e poi nel pomeriggio siamo tornati a casa presto per evitare il traffico del rientro. Che peccato! Potevamo stare fino a tardi... (**Gloria,** 56 anni, Napoli)

Io sono andata sulla Sila con i miei cugini... abbiamo fatto una bella grigliata!!! (**Francesca,** 24 anni, Sibari, Cosenza)

Che bello, beati voi! Ferragosto sulla Sila, io amo la montagna... (**Gloria**)

Siamo andati con i miei genitori e mia sorella ad una sagra qui nel nostro paese dove si mangiava un po' di tutto. Così non ho dovuto cucinare! Che fortuna! (**Beatrice,** 38 anni, Catanzaro)

Allora, buona giornata a tutti e buon Ferragosto anche per quest'anno! (**Manuela**)

B

Ora leggete i messaggi più attentamente e rispondete alle domande.

Now read the postings more carefully and answer the questions.

1   Dove festeggiano Ferragosto solitamente Manuela e suo marito?

2   Cristina non ha dovuto cucinare a Ferragosto. Perché?

3   Perché Gloria non è rimasta fuori fino a tardi il 15 agosto?

4   Come ha cucinato la carne Francesca?

5   Perché Beatrice non ha cucinato a Ferragosto?

C

Individuate nei messaggi tutte le frasi esclamative con 'che' e scrivete una possibile traduzione in inglese / nella vostra lingua.

Pick out all the exclamations in the postings which contain che *and write a possible translation in English / your own language.*

D

Ecco alcune altre frasi esclamative. Collegate le frasi con le traduzioni in inglese a destra.

Here are some more exclamations. Match them to their English translations in the right-hand column.

1	Che guaio!	(a)	I'm so thirsty!
2	Che sfortuna!	(b)	What bad luck!
3	Che seccatura!	(c)	I'm so hungry!
4	Che sonno!	(d)	What a disaster!
5	Che fame!	(e)	I'm so tired!
6	Che sete!	(f)	What a pain!

Lingua 5.2

Che fortuna!

As you've seen, you can use exclamations starting with *che* to react to most situations with pleasure, admiration, sympathy, amazement or shock. You can combine *che* with either adjectives (*Che calda l'acqua!*) or nouns (*Che peccato!*). If using it with adjectives, don't forget to make it agree in gender and number with the person or object referred to:

Che bravi i tuoi figli!
How clever your children (are)!

Che bella questa casa!
What a lovely house this is! / How lovely this house is!

The exclamation can be expanded by *che* and a verb, as in this example:

Che caldo che faceva!
It was so hot!

E

Quale espressione con 'che' usereste nei seguenti casi? Scegliete voi!

Which expression with che *would you use in the following cases? You choose!*

1   Un vostro caro amico ha vinto una vacanza in Sicilia!

2   Oggi faceva caldo e non avevo neanche l'acqua da bere.

3   Mia zia mi ha preparato un pranzo tipicamente italiano!

4   Mio fratello ha fatto un incidente in macchina.

5   Faceva 4–5 gradi sotto zero e non avevo neanche la giacca!

6   Ho invitato anche Alessandro e Bea stasera ma non vengono.

7   Prima ho perso i guanti e poi ho perso la sciarpa.

Attività 5.10 _____

A

Organizzate le seguenti frasi nelle categorie adatte.

Sort the following phrases into the appropriate categories.

Sympathy	Amazement and disbelief	Relief	Envy

1. Mi dispiace.   *I'm sorry to hear that.*
2. Davvero?   *Really?*
3. Sul serio?   *Seriously?*
4. Roba da matti!   *It's sheer madness!*
5. Poveri loro!   *Poor them!*
6. Meno male!   *Just as well! / That's a good thing!*
7. Beato lui!   *Lucky him!*

Lingua 5.3

Lucky you!

As you have seen in the last activity, exclamations can combine adjectives such as *beato* with the emphatic pronoun forms *me, te, lui, lei, noi, voi, loro* (called disjunctive pronouns). The adjective needs to agree with the gender (masculine / feminine) of the person or people referred to:

Beata lei!
Lucky her!

Beati loro!
Lucky them!

Poveri noi!
Poor us!

Povera me!
Poor me!

B

Quale espressione usereste nei seguenti casi? Scegliete l'esclamazione più adatta in ogni caso.

Which expression would you use in the following cases? Choose the most appropriate exclamation for each.

1. Una vostra carissima amica va a vivere in un'altra città.
   - (a) Che sfortuna!
   - (b) Mi dispiace.

2. Un vostro amico ha perso le chiavi della macchina.
   - (a) Che guaio, mi dispiace.
   - (b) Meno male!

3. Qualcuno vi passa avanti mentre fate la fila alla cassa.
   - (a) Che peccato!
   - (b) Roba da matti!

4. Venite a sapere che un vostro amico si sposa per la terza volta.
   - (a) Ma davvero?
   - (b) Che disastro!

5. Vostra sorella aspetta un bambino.
   - (a) Davvero?
   - (b) Roba da matti!

6. La vostra amica va in vacanza ai Caraibi.
   - (a) Beata lei!
   - (b) Meno male!

Attività 5.11

In this activity, you will read some postings from an online holiday forum called *Turistipercaso*, which has a *bacheca* (noticeboard) on which people ask for advice or advertise holiday lets or house exchanges.

A

Leggete i testi e individuate le varie forme di 'buono', 'migliore', 'meglio', ecc.

Read the texts and identify the various forms of buono, migliore, meglio, *etc.*

Parcheggio Venezia Marco Polo

Salve, qualcuno sa consigliarmi dove posso lasciare la macchina per dieci giorni vicino all'aeroporto di Venezia Marco Polo? Ho trovato un parcheggio a 60 euro, è buono ma c'è di meglio?

> Il migliore parcheggio è il parcheggio Marco Polo 2002 che si trova a due minuti dall'aeroporto. È in una buona posizione, ben custodito e anche a buon prezzo. Costa 30 euro alla settimana con servizio navetta gratuito.

Scambio casa

Offro appartamento molto bello a Padova nel centro della città per una sett, dieci gg. in cambio del vostro alloggio, possibilmente in campagna, meglio ancora in montagna. La casa si trova in una delle migliori zone della città.

(Adattato da www.turistipercaso.it) [consultato gennaio 2010]

Lingua 5.4

Buono, migliore, etc.

Buono ('good') has both a regular comparative and superlative form (*più buono, il più buono*) and its own distinct forms: *migliore* ('better'), *il/la migliore* ('the best'). Other adjectives with two comparative and superlative forms are *cattivo* ('bad'), *grande* ('big') and *piccolo* ('small'):

Adjective	Comparative	Superlative
buono (*good*)	più buono migliore (*better*)	il più buono il migliore (*best*)
cattivo (*bad*)	più cattivo peggiore (*worse*)	il più cattivo il peggiore (*worst*)
grande (*big*)	più grande maggiore (*bigger*)	il più grande il maggiore (*biggest*)
piccolo (*small*)	più piccolo minore (*smaller*)	il più piccolo il minore (*smallest*)

There are differences in the way the two forms are used. While the forms *migliore* and *peggiore* tend to refer to a more abstract or undefined quality, *più buono* and *più cattivo* are often used for items such as food and drink. Look at the following examples:

> I guanti da sci sono **migliori** di quelli di lana, quando c'è la neve.
> *Ski gloves are better than woollen gloves when it's snowy.*

> Il mio dolce è **più buono** del tuo.
> *My cake is nicer than yours.*

Più grande and *più piccolo* are used when referring to **dimensions**:

> Il mio appartamento è **più piccolo** del tuo.
> *My flat is smaller than yours.*

Questi pantaloni sono **più grandi** di quelli di cotone.
These trousers are bigger than the cotton ones.

Maggiore and *minore* are used when talking about **age or an abstract quality**:

(Il) Mio fratello **maggiore** si chiama Paolo, (il) mio fratello **minore** Giulio.
My older brother is called Paolo, my younger brother Giulio.

When talking informally, however, *più grande* and *meno grande* are also used:

Il fratello **più grande** si chiama Paolo, il fratello **più piccolo** si chiama Giulio.
The oldest brother is called Paolo, the youngest brother is called Giulio.

B

Sostituite il comparativo o superlativo dell'aggettivo in grassetto qui sotto con un'altra forma comparativa o superlativa con lo stesso significato.

Replace the comparative or superlative of the adjective shown in bold below with another comparative or superlative form with the same meaning.

1   Il tè inglese è **più buono** di quello italiano.

2   Il mio fratello **più grande** si chiama Giorgio.

3   La mia sorella **più piccola** si chiama Camilla.

4   Filippo è il bambino **più cattivo** della classe.

C

Scrivete tre cose sulla vostra vacanza (o fine settimana) più recente, usando esempi delle forme comparative o superlative illustrate sopra.

Give three statements about your most recent holiday (or weekend), using examples of the comparative or superlative forms shown above.

Attività 5.12

A

Ora rileggete il testo nella sezione A dell'Attività 5.11 osservando di nuovo gli esempi di 'meglio' nel testo. Poi leggete la seguente nota.

Now reread the text of part A of Attività 5.11, *looking at the examples of* meglio *in the text. Then read the following note.*

Lingua 5.5

Bene, meglio

Adverbs *bene* (well) and *male* (badly) also have their own distinctive comparative and superlative forms *meglio* (better), *il meglio* (best) and *peggio* (worse), *il peggio* (worst). *Il meglio* and *il peggio* (always masculine) are often used as nouns meaning 'the best (of something)', 'the worst (of something)'.

Adverb	Comparative	Superlative
bene (*well*)	meglio (*better*)	il meglio (*best*)
male (*badly*)	peggio (*worse*)	il peggio (*worst*)

– Come va il lavoro? Va **bene**?
– *How's work going? Is it going well?*

– Va **meglio** oggi, grazie.
– *It's going better today, thanks.*

Non sono esperta, ma cerco di tradurre il **meglio** possibile.
I'm not an expert but I try to translate as well as I can / the best I can.

Peggio di così... si muore.
If things get any worse than this, we'll be dead. (i.e. 'Things can't get any worse!')

Il peggio è passato.
The worst is over.

Il meglio e **il peggio** d'Italia.
The best and the worst of Italy.

B

Completate le seguenti frasi con l'aggettivo o l'avverbio adatto ('buono', 'migliore'; 'bene', 'meglio').

Complete the sentences below with the appropriate adjective or adverb (buono, migliore; bene, meglio).

1   La zona Parioli è una delle zone _____ di Roma.

2   Il caffè _____ del mondo è il caffè italiano.

3   Mi sai indicare un _____ parcheggio in centro città?

4   La mia casa è in una _____ posizione.

5   Se non trovi di _____ , vieni in vacanza con me.

6   Io guido male, ma mio marito guida molto _____ di me.

7   Ho un brutto raffreddore, ma oggi sto un po' _____ .

8   Le cose vanno di male in _____ .

The theme of the next activity is journeys, time taken and different means of transport, and the use of *ci vuole / ci vogliono* and *ci mette* for this.

Attività 5.13 _____

A

Leggete il testo e scegliete la risposta – o le risposte – che riflette/riflettono meglio il contenuto del testo.

Read the text and choose the answer or answers that best reflect the content of the text.

1   Passare il weekend a Londra...

   (a)   è sempre economico.

   (b)   è economico quando la sterlina è bassa.

   (c)   è economico se prendete un volo low cost.

   (d)   è economico se trovate un albergo a basso prezzo.

2   Quanto tempo ci si mette per andare da Milano a Londra?

   (a)   Ci si mette un'ora e mezzo in aereo.

   (b)   Ci si mette due ore in treno.

   (c)   Ci si mette due ore in aereo.

3   Viaggiare da Roma a Parigi in treno – quali sono gli svantaggi?

   (a)   Il treno ci mette dodici ore.

   (b)   Bisogna pagare la cuccetta.

   (c)   Si può dormire in treno.

4   Anche i trasporti a terra sono migliori, perché...

   (a)   sono più rapidi.

   (b)   costano meno.

   (c)   sono piu facili da prenotare.

Milano Centrale

Capodanno a Parigi, weekend a Londra

Quando la sterlina è bassa, Londra può essere conveniente. Chi vuole organizzare un weekend nella capitale britannica senza spendere una fortuna può approfittare dei voli low cost e degli alberghi a basso prezzo.

Se invece volete passare Capodanno a Parigi, basta guardare in Internet e trovate subito delle offerte.

I voli low cost hanno veramente cambiato le abitudini di molti italiani per quanto riguarda i viaggi. Da Milano a Londra ci vuole solo un'ora e mezzo in aereo. Da Venezia a Londra ci vogliono appena due ore. Da Roma a Parigi mentre il treno ci mette 12 ore, e bisogna pagare anche la cuccetta, l'aereo ci mette solo due ore.

Anche i trasporti a terra sono più comodi e convenienti. Ad esempio, mentre prima il pullman dalla stazione centrale di Milano ci metteva quasi un'ora per arrivare a Malpensa, ora ci sono mezzi più rapidi e comodi. Poi quando si arriva a Londra, con la metropolitana ci vogliono solo 40 minuti da Heathrow al centro di Londra.

Oggi il weekend è anche più facile da organizzare: si fa tutto in Internet; ci si mette meno tempo a prenotare un volo che a comprare il pane!

Vocabolario

approfittare di   *to take advantage of, benefit from*

conveniente   *cheap (not 'convenient' here)*

i mezzi (di trasporto)   *means (of transport)*

B

Vi ricordate alcune parole chiave del testo? Rileggete il testo e completate le frasi con una parola o una frase adatta presa dal testo.

Do you remember some keywords from the text? Read the text again and complete the sentences with an appropriate word or phrase taken from the text.

1   Vorrei passare un weekend a Londra senza spendere _____ .

2   Se volete passare Capodanno a Parigi, _____ guardare in Internet.

3   I voli low cost hanno cambiato _____ degli italiani.

4   Il treno ci mette 12 ore e poi bisogna pagare anche _____ .

5   Prima il pullman ci metteva un'ora. Ora ci sono dei _____ più rapidi.

Lingua 5.6

Ci vuole / ci vogliono

Ci vuole / ci vogliono is a general way of expressing time taken for a journey:

Quanto **ci vuole** da Roma a Napoli?
How long does it take from Rome to Naples?

Da Roma a Napoli in macchina **ci vuole** un'ora e mezzo.
From Rome to Naples by car it takes an hour and a half.

Da Milano a Venezia in treno **ci vogliono** tre ore.
From Milan to Venice by train it takes three hours.

Quanto **ci vuole**?
How long does it take?

Il tempo che **ci vuole**!
As long as it takes! / However long it takes!

Ci vuole can also be used to talk about what one needs, e.g. in a recipe:

> Quanto zucchero **ci vuole** per fare questo dolce?
> *How much sugar do you need to make this cake?*

> **Ci vogliono** 200 grammi di zucchero.
> *You need 200 g of sugar.*

With the perfect tense, *ci vuole / ci vogliono* uses *essere*:

> Da Roma a Reggio Calabria **ci sono volute** sette ore in macchina.
> *From Rome to Reggio Calabria it took seven hours by car.*

C

Completate le frasi con l'espressione più adatta scelta tra 'ci vuole', 'ci vogliono', 'vuole', 'vogliono'.

Complete the sentences with the most appropriate phrase out of ci vuole, ci vogliono, vuole, vogliono.

1 Non dimenticare, per andare in Cina _____ il visto.

2 Senti, quante uova _____ per fare il tiramisù?

3 Coraggio! Per imparare una lingua straniera _____ soprattutto pazienza!

4 Che peccato! Luisa non _____ prendere il traghetto.

5 Da Roma a Milano? Mah, secondo me, _____ circa cinque ore.

6 I miei genitori non _____ mai viaggiare in aereo.

7 Quanto tempo _____ per arrivare a Perugia?

8 Vincenzo, secondo te, quanti grammi di zucchero _____ per fare il dolce di mele, 250 or 500?

D

Lingua 5.7

Ci metto / metti / mette, ci si mette

Ci metto / ci mette (mettere + ci) is used to express time taken, where either the person travelling or the means of transport or both are mentioned:

> Gloria, quanto **ci metti** da Cornate a Monza?
> *Gloria, how long does it take you from Cornate to Monza?*

> In macchina **ci metto** mezz'ora.
> *By car I take half an hour.*

> Quanto **ci metti** a finire il libro?
> *How long will it take you to finish the book?*

The impersonal verb form with *si* is also often used, when the person travelling / doing is not specified:

> Quanto **ci si mette** in treno?
> *How long does it take by train?*

Completate le frasi con la forma più adatta di 'mettere + ci'.

Complete the sentences with the appropriate form of mettere + ci.

1 Di solito si prende la macchina perché in treno _____ troppo tempo.

2 Gemma, quanto _____ a fare i compiti? Ti aspetto da un'ora!

3 Quand'ero piccola, andavo a scuola a piedi e _____ mezz'ora.

4 Quando non c'era il Tunnel sotto la Manica, prendevamo il traghetto e _____ molto più tempo.

5 Ieri siamo tornati dal mare, il traffico era caotico e _____ due ore.

The next two activities contain personalised accounts of holidays, either in blogs, holiday diaries or literary extracts. This will prepare you to talk about your own holiday experiences. This section also further consolidates the use of the perfect tense and imperfect tense.

Attività 5.14

In this extract from Andrea de Carlo's book *Due di Due*, two young men talk about their first travel experience *'fuori dall'Italia'*, outside Italy. The language in the extract illustrates the different uses of the two past tenses you have studied (perfect and imperfect).

A

Leggete il testo *Fuori dall'Italia* e segnate se le seguenti affermazioni sono vere o false.

Read the text Fuori dall'Italia *and tick whether the following statements are true or false.*

		Vero	Falso
1	Guido e il suo amico prendono l'aereo.	☐	☐
2	Guido e il suo amico hanno moltissimi bagagli.	☐	☐
3	Vanno a dormire in albergo.	☐	☐
4	Prima di partire hanno organizzato dettagliatamente il loro viaggio.	☐	☐
5	È la prima volta che i due ragazzi vanno insieme in Grecia.	☐	☐
6	Quando arrivano ad Atene il tempo è brutto.	☐	☐
7	Al loro arrivo ad Atene si trovano di fronte ragazzi di tutto il mondo.	☐	☐

Fuori dall'Italia

Il giorno dopo siamo andati in un'agenzia a comprare due biglietti Venezia-Pireo, passaggio di solo ponte, e uno per la mia moto. Abbiamo fatto brevi preparativi, messo da parte le poche cose che volevamo portare. Avevo ancora la piccola tenda canadese della mia vacanza con Roberta due estati prima, ma Guido ha detto che non serviva, che sarebbero bastati i sacchi a pelo. Era la prima volta in vita mia che facevo un viaggio fuori dall'Italia, pensarci mi riempiva di agitazione. […]

Siamo arrivati nel porto di Atene sotto il sole a picco di mezzogiorno […]. Eravamo eccitati all'idea di essere fuori dall'Italia e in un posto che non conoscevamo affatto, senza ancora nessun programma definito.

Quando finalmente siamo riusciti a scendere abbiamo portato la moto a mano, cauti di fronte all'assalto di suoni e immagini. C'era una quantità incredibile di giovani stranieri, a piccoli gruppi e a coppie e singoli, con zaini e sacchi a pelo sulle spalle, cappelli e fazzoletti in testa, sandali ai piedi. C'erano ragazze scandinave dalla pelle molto chiara e americani con custodie di chitarre, ragazze francesi magre e interessanti, branchi di tedeschi dai capelli lunghi. […]

Siamo andati in una delle molte piccole agenzie di viaggio per scoprire che alternative avevamo. Io sono rimasto fuori con la moto, Guido si è fatto largo tra la piccola folla di stranieri che assediava il bancone. Dalla porta lo vedevo guardare le ragazze intorno, le carte geografiche alle pareti; è tornato indietro un paio di volte a chiedermi consiglio con gli occhi che gli brillavano. Mi ha detto «Potremmo andare alle Cicladi, o alle Sporadi, o a Creta, a Idra».

(Andrea de Carlo (1989) *Due di Due*, Mondadori)

Vocabolario

la moto   *motorbike*

il sacco a pelo   *sleeping bag*

lo zaino   *backpack*

il branco   *horde*

farsi largo   *to make one's way (through a crowd)*

il bancone   *counter*

B

Rileggete il testo e sottolineate i verbi al passato prossimo e all'imperfetto. Poi rispondete alle domande qui sotto sull'uso di questi due tempi.

Read the text again and underline the verbs in the perfect and imperfect tenses. Then answer the questions below on how the different tenses are used.

	Passato prossimo	Imperfetto
Che tempo si usa per...		
• esprimere un'azione del passato che si è conclusa?	☐	☐
• esprimere un sentimento o un'intenzione del passato?	☐	☐
• descrivere persone, cose e situazioni del passato?	☐	☐

C

Qual è l'intruso fra questi? Motivate la vostra scelta in italiano.

Which of these words is the odd one out? Explain your choice in Italian.

sacco a pelo • zaino • tenda • caffettiera

D

Trovate nel testo il sinonimo delle seguenti parole / frasi.

Find in the text the synonym of the following words / phrases.

1   masse, folla

2   il sole forte, sole che scotta

3   tipo di borsa per portare la chitarra

4   ha fatto spazio per passare

5   le mappe

6   prendere d'assalto

Lingua 5.8

Further contrast of the perfect and imperfect tenses

In Unit 2 you looked at how the perfect tense is used for relating an event in the past while the imperfect tense is used to refer to a habitual action or describe a situation. In the text above, *Fuori dall'Italia*, you can see how the two tenses are often used in combination to contrast the main action or foreground (perfect tense) with the background or description / feelings (imperfect tense).

> Siamo andati (*main action*) in una delle molte piccole agenzie di viaggio per scoprire che alternative avevamo (*background*).

> Siamo arrivati (*main action*) nel porto di Atene [...] Eravamo eccitati (*feelings*) all'idea di essere fuori dall'Italia...

Attività 5.15 _____

Nel suo diario delle vacanze qui sotto, Paolo racconta il viaggio che ha fatto in Sicilia, al tempo presente (il tempo presente viene usato spesso in italiano per scrivere un diario). Immaginate di essere Paolo che al ritorno dal viaggio scrive un'e-mail ai suoi amici e trasformate il testo dal tempo presente al passato, usando i tempi appropriati.

In his holiday diary below, Paolo writes about his trip to Sicily in the present tense, as people often do in diaries in Italian. Imagine that you are Paolo writing an email to friends once back home after his trip and change the text from present to past, using the appropriate tenses.

Abbiamo cominciato la nostra avventura…

Diario di viaggio

Cominciamo la nostra avventura all'aeroporto di Palermo! Alle 10.00 di mattina arriviamo all'aeroporto, aspettiamo per quasi un'ora i nostri bagagli, un disastro: bambini che piangono, turisti che perdono la pazienza… Usciamo e prendiamo un taxi. La città è caotica, c'è tantissimo traffico e fa un caldo da morire. Un incubo! In centro ci fermiamo davanti a un albergo, indecisi se entrare: sembra proprio squallido! Decidiamo allora di noleggiare una macchina e di cercare un posto più tranquillo.

Prendiamo la strada per Trapani. Il paesaggio cambia, dalla macchina si vede il mare azzurro a destra, a sinistra le colline verdi, i contadini che lavorano nei campi… un paesaggio da favola. Ci fermiamo a Castellammare del Golfo, dove troviamo un ristorante molto carino e facciamo un pranzo tutto a base di pesce. Paghiamo poco e mangiamo bene!

Dopo pranzo guidiamo per altri 40 minuti e arriviamo a Scopello, un piccolo paese in collina. La strada diventa sempre più stretta e arriviamo in una zona pedonale dove non si passa con la macchina. Lasciamo la macchina al parcheggio e andiamo a vedere il paese. È molto caratteristico, gli abitanti che passeggiano in piazza, i negozietti che vendono frutta fresca e alcuni bar coi tavolini fuori. Nel paese ci sono solo due pensioni. Andiamo a vederne una. È molto carina, semplice ma pulita. Le stanze si affacciano su un piccolo cortile fiorito. Che posto da sogno! Decidiamo di restare lì per qualche giorno anche perché siamo stanchi di viaggiare.

The last section of this unit will introduce you to cultural events and festivals in Italy, both past and present. It also looks at the use of the past tenses of three common verbs: *dovere, potere* and *volere*.

Cultura e società

Cultural events and festivals

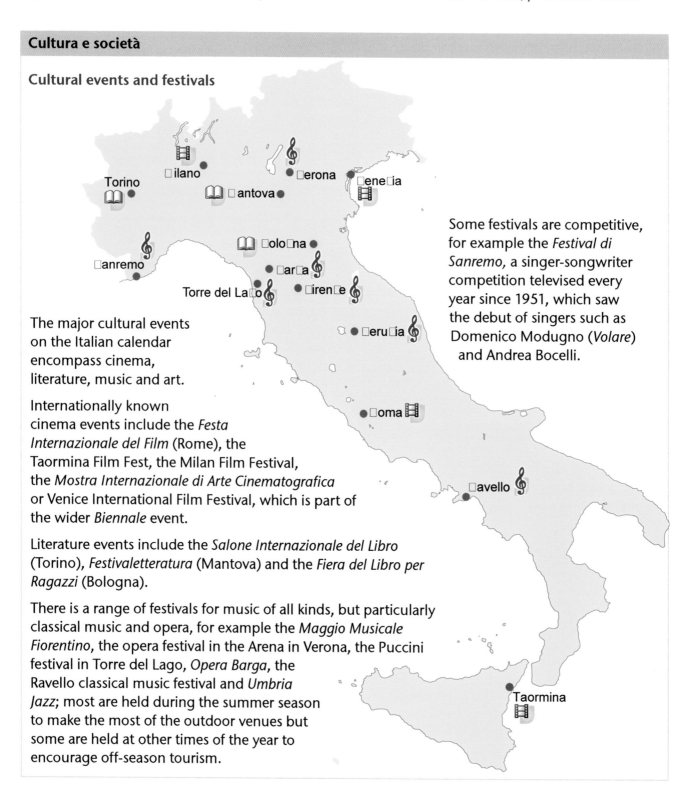

The major cultural events on the Italian calendar encompass cinema, literature, music and art.

Internationally known cinema events include the *Festa Internazionale del Film* (Rome), the Taormina Film Fest, the Milan Film Festival, the *Mostra Internazionale di Arte Cinematografica* or Venice International Film Festival, which is part of the wider *Biennale* event.

Some festivals are competitive, for example the *Festival di Sanremo,* a singer-songwriter competition televised every year since 1951, which saw the debut of singers such as Domenico Modugno (*Volare*) and Andrea Bocelli.

Literature events include the *Salone Internazionale del Libro* (Torino), *Festivaletteratura* (Mantova) and the *Fiera del Libro per Ragazzi* (Bologna).

There is a range of festivals for music of all kinds, but particularly classical music and opera, for example the *Maggio Musicale Fiorentino*, the opera festival in the Arena in Verona, the Puccini festival in Torre del Lago, *Opera Barga*, the Ravello classical music festival and *Umbria Jazz*; most are held during the summer season to make the most of the outdoor venues but some are held at other times of the year to encourage off-season tourism.

Attività 5.16

A

Leggete il testo e individuate nel testo tutti i tempi passati dei verbi 'dovere', 'potere' e 'volere'.

Read the text and find all the past tenses of dovere, potere *and* volere *in it.*

Quest'anno sono stata davvero fortunata, poiché mi sono trovata a Barga nel periodo del Festival dell'Opera. Era da tanto che volevo assistere a questo festival di cui tanti mi avevano parlato. E finalmente ho potuto realizzare questo mio sogno, ma non è stato facile. Ho dovuto fare centinaia di telefonate per trovare un posto in albergo! I turisti che non avevano prenotato in anticipo hanno dovuto fare la coda all'ufficio turistico o cercare una sistemazione nei paesi vicino a Barga.

Il Festival Opera Barga è stato fondato nel 1967 dai coniugi inglesi Peter Hunt e Gillian Armitage ed è diretto oggi dal figlio Nicholas Hunt.

Il festival collabora con la prestigiosa Cardiff International Academy of Voice, dipartimento dell'Università di Cardiff, che partecipa al progetto europeo Leonardo per la mobilità internazionale. I cantanti che studiano a Cardiff vengono da tutto il mondo, e di quelli che volevano venire a Barga, solo una piccola percentuale ha potuto essere selezionata.

Sabato 25 luglio ho potuto assistere alla rappresentazione del *Matrimonio segreto*, dramma giocoso di Domenico Cimarosa che inaugurò il Teatro dei Differenti nel 1795. Tantissimi applausi e numerose chiamate per il cast di giovani talenti vocali. Erano bravissimi!

Il 27 luglio invece sono andata al recital di Andrea Bacchetti, l'artista genovese che ha suonato le *Variazioni Goldberg* di Bach. Il festival si è concluso poi il 1° agosto con il concerto vivaldiano di Sardelli e l'orchestra barocca Modo Antiquo, sempre al Teatro dei Differenti.

Vocabolario

che inaugurò il Teatro dei Differenti nel 1795 *which inaugurated the Teatro dei Differenti in 1795*

Inaugurò is the *passato remoto* tense of *inaugurare*. This tense is used in written Italian to refer to historic events or to events with no connection to the present. In spoken Italian you are more likely to hear the *passato prossimo* used for this purpose: *'ha inaugurato'.*

Lingua 5.9

Past tenses of *dovere*, *potere* and *volere*

You have already seen many examples of the different ways in which the two main past tenses (perfect, imperfect) are used. For the verbs *volere, potere, dovere*, there is an actual difference in meaning between the imperfect tense (e.g. *volevo*) and the perfect tense (e.g. *ho voluto*). Compare these examples:

Volevamo passare una settimana in Inghilterra ma i voli **erano** troppo cari.
We wanted to spend a week in England but the flights were too expensive.

Abbiamo voluto passare una settimana in Inghilterra e fortunatamente **abbiamo potuto** chiedere cinque giorni di ferie.
We wanted to go to England for a week and luckily we were able to ask for five days holiday.

In these examples, the imperfect tense describes an intention or desire which may or may not have been fulfilled, while the perfect tense describes an action which **did** take place.

Dovere is used in a similar way:

Dovevamo passare la vigilia di Natale dai miei ma c'era troppa neve e le strade erano bloccate.
We were supposed to spend Christmas Eve at my parents' but there was too much snow and the roads were blocked.

Abbiamo dovuto passare la notte dai miei perché siamo rimasti bloccati dalla neve.
We had to spend the night at my parents' because we were stranded by the snow.

Potere can express what one could have done or was actually able to do:

Simone **poteva** chiamarci per farci sapere.
Simone could have called to let us know. (= but he didn't)

Per fortuna Simone **ha potuto** chiamare per avvertirci.
Luckily Simone was able to call to warn us.

B

Vi ricordate quale tempo dei verbi 'dovere', 'potere', 'volere' veniva usato nelle seguenti frasi (prese dal testo su Opera Barga)?

Do you remember which tense of dovere, potere *or* volere *was used in the following sentences (taken from the text on Opera Barga)?*

1   Era da tanto che _____ assistere a questo Festival.

2   E finalmente _____ realizzare questo mio sogno.

3   _____ fare centinaia di telefonate per trovare un posto in albergo!

4   I turisti che non avevano prenotato in anticipo _____ _____ fare la coda all'ufficio turistico.

5   Di quelli che _____ venire a Barga, solo una piccola percentuale _____ essere selezionata.

6   Sabato 25 luglio _____ _____ assistere alla rappresentazione del *Matrimonio segreto*.

C

Trovate nel testo su Opera Barga una parola o frase con lo stesso significato di quelle indicate sotto.

Find in the text on Opera Barga a word or phrase with the same meaning as those shown below.

1   essere presente al festival

2   molte telefonate

3   riservato prima (del festival)

4   fare la fila

5   un alloggio

6   marito e moglie

7   scelta

8   commedia

9   il concerto

The final writing activity for this unit consists of writing a diary or a blog about a holiday.

Attività 5.17

A

Vi ricordate una vacanza particolare o speciale? Fate una lista delle cose che avete fatto in quella vacanza.

Do you remember a particular holiday or a special holiday? Make a list of the things you did on that holiday.

1   i posti che ho visitato

2   le cose che ho visto

3   i romanzi che ho letto

4   i soldi che ho speso

5   i piccoli problemi e gli inconvenienti

6   i piatti regionali

7   le cose che ho scoperto

B

Basandovi sulla lista che avete fatto nella sezione A, scrivete un diario o blog in cui raccontate una vacanza che avete fatto. Descrivete i luoghi, le cose che avete fatto, cosa avete visto, ecc., usando i verbi al passato prossimo e all'imperfetto. (150–250 parole)

Using the list you made in step A, write a diary or blog telling about a holiday you have had. Describe the places, the things you did, what you saw, etc., using verbs in the perfect and imperfect tenses. (150–250 words)

Bilancio

Key phrases

Volevo assistere al Festival di Barga.

Ho potuto comprare dei biglietti per il Festival.

Ho dovuto fare la coda.

Davvero? / Sul serio? / Mi dispiace.

Buon viaggio! Buono studio!

Poveri loro! / Beato lui !

Che caldo! / Che disastro! / Che peccato!

Quanto tempo ci vuole?

Ci vuole un'ora. / Ci vogliono due ore.

Quanto ci metti in treno? Ci metto un'ora.

Il dolce di cioccolato è buono. Ma il dolce di mele è migliore.

Il corso d'italiano va bene. Il lavoro va meglio.

Here are some ideas and suggestions on how to organise what you have studied in this unit. You don't have to do all the activities but you should select those that are particularly relevant to you to summarise and reinforce your learning.

Memorising keywords and structures

To take note of and memorise the keywords and structures from this unit, try the following activities:

1 Write a sentence saying what you had to do before you went out yesterday evening. Make sure you use the appropriate tense of *dovere*.

2 Write two sentences saying you are sorry you couldn't come to your friend's party on Saturday and giving the reason why. Use the appropriate tenses of *potere, dovere*.

3 Write a sentence saying you wanted to cook dinner but you had to do your Italian homework (*compiti*) instead. Use the appropriate tense of *volere*.

4 Think about the two past tenses (imperfect and perfect) and how you would use them to tell people what you have been doing that day: *sono andata in centro, c'era traffico*. Write notes for yourself if it helps you to remember them. Add at least two expressions using *che* such as *Che disastro! Che bello!*

5 Write a sentence using *buono / migliore* comparing two pasta dishes, two cakes or two of anything else you want, for example *le lasagne / i cannelloni, la torta di mele / la torta di riso, le macchine inglesi / le macchine italiane.*

6 Write a sentence using *bene / meglio* saying how you do something well but your friend does it better, for example *fare le fotografie, guidare la macchina.*

7 Talk about how you get to work, what the various transport options are and how long they each take. Use as many examples as possible of *ci vuole / ci vogliono / ci mette.*

Cultura e società

What have you found most interesting about how Italians spend their holidays? Is it similar or different to the country where you live? Did it match the ideas you may have had about what Italians do for their holidays?

L'importante è mangiare bene

This unit looks at the role that food and drink play in Italian families and society, comparing past and present eating habits. You will learn how to give advice about diet and will find information about Italian regional cuisine, festivals and local food fairs, as well as reading about local produce and traditions, the Slow Food movement and meals for special occasions.

Key learning points

- The pronoun *si*
- Giving advice using the present conditional
- Giving instructions using the informal imperative
- Using the informal imperative with direct object pronouns
- Expressing need using *servire*

Study tips

- Using a bilingual dictionary to get grammatical information
- Making a plan for a written text

Culture and society

- The Slow Food movement
- Italian regional cuisine
- Food festivals and fairs
- *La Cena della Vigilia*

Overview of *Unità 6*

Attività	Themes and language practised
6.1–6.5	Talking about Italian eating habits today and how they have changed over time; the Slow Food movement; expenditure on food; the pronoun *si*.
6.6	Italian regional cuisine and regional produce; festivals and local food fairs.
6.7–6.9	Healthy eating; giving advice on eating habits using the present conditional or the informal imperative; using the informal imperative with direct object pronouns.
6.10	Meals for special occasions in the calendar: *la Cena della Vigilia, il Cenone di Capodanno*; expressing need using *servire*.
6.11	Planning and structuring a piece of writing; writing an account of a meal.
Bilancio	Check your progress; further study tips.

In the next few activities you will learn about eating habits in Italy and how they have changed in the past few decades, about the Slow Food movement in Italy and how much money Italians spend on food each month and on which products in particular. There will also be some language work on the pronoun *si*.

Attività 6.1

A

Che cosa sapete delle abitudini alimentari tradizionali degli italiani? Completate la tabella qui sotto.

What do you know about traditional Italian eating habits? Complete the table below.

	PASTO				
	colazione	pranzo	cena	sabato (cena)	domenica (pranzo)
A che ora?					
Cosa si mangia?					
Dove si mangia?					

B

Adesso leggete l'articolo alla prossima pagina sull'evoluzione delle abitudini alimentari degli italiani negli ultimi vent'anni e rispondete alle domande.

Now read the article on the next page about the changes in Italian eating habits over the last 20 years and answer the questions.

1 Quali sono gli alimenti nuovi che gli italiani hanno aggiunto alla loro colazione?

2 Gli italiani hanno ridotto i consumi di quale cibo o bevanda?

3 Chi sono l'8,5% delle persone che salta la prima colazione?

4 Qual è il cibo etnico preferito dagli italiani?

5 Che cosa indica il termine 'boom' riferito al cibo etnico?

Le abitudini alimentari degli italiani

Come eravamo e come siamo: quanto sono cambiati gli italiani a tavola nel giro di vent'anni? Se fino a ieri al mattino si beveva solo un caffè nero e via, poi un pranzo abbondante e con la classica 'fettina', per concludere la giornata con una cena leggera ma non troppo e un bicchiere di vino, oggi iniziamo spesso la giornata con cereali e yogurt, quello di mezzogiorno è solo uno spuntino, la sera siamo a cena fuori, magari in un ristorante etnico, e apprezziamo molto anche il pesce e la birra. [...]

Ma più esattamente, in che cosa è cambiato il modo di mangiare degli italiani? Da una parte siamo diventati più attenti a quello che mangiamo: mangiamo più pesce, beviamo meno alcol, consumiamo più verdura, dall'altra, però, usiamo più spesso cibi veloci come 'snack' o merendine. [...]

Ma uno dei cambiamenti più interessanti è proprio la maggiore importanza attribuita dagli italiani alla prima colazione, e la comparsa di prodotti prima sconosciuti sulle tavole italiane, come appunto lo yogurt e i cereali.

Oggi, tra gli adulti che lavorano, solo l'8,5% salta completamente la prima colazione e appena il 21,7%, beve soltanto un caffè.

I consumi alimentari sono diventati anche più diversificati. Ad esempio, il settore dei 'pasti fuori

Fast food Italian-style

casa'. Secondo dati recenti il 33% circa del denaro per i consumi alimentari è stato appunto speso per i pasti fuori casa. E se la pizzeria resta un classico e i fast food sono in crescita, il fenomeno forse più interessante è il boom del cibo etnico. Tra i cibi preferiti c'è quello cinese (l'84% dei ristoranti etnici sono cinesi) seguito da quello messicano. L'altro grande cambiamento è il trionfo della dieta mediterranea e della cucina regionale.

Nelle abitudini alimentari degli italiani possono così convivere l'acqua minerale e il buon vino, la pasta aglio e olio e le tortillas messicane.

(Adattato da Cavaliere, C. (1999) *L'Ambiente Cucina*, a cura di Agepe)

C

Leggete di nuovo l'articolo e trovate le espressioni nell'articolo che corrispondono a quelle sotto.

Read the article again and find the expressions in the article which match those below.

1   un caffè senza latte

2   il contrario di un pranzo leggero

3   fiocchi d'avena, müsli

4   un pasto veloce

5   un ristorante in cui si mangiano cibi esotici

6   consumi alimentari più vari

D

In questa attività confrontate le abitudini alimentari del passato e del presente degli italiani, consolidando l'uso dell'imperfetto. Scrivete cinque frasi complete seguendo l'esempio qui sotto.

In this activity you will compare Italian eating habits past and present, consolidating the use of the imperfect tense. Write five full sentences following the example below.

Esempio

fare colazione / solo caffè / mangiare / yogurt e cereali

Vent'anni fa gli italiani facevano colazione solo con il caffè, **mentre oggi** mangiano yogurt e cereali.

1 pranzare abbondantemente / fare uno spuntino

2 mangiare spesso a casa / fare pasti fuori casa

3 bere molto alcol / evitare l'alcol

4 cucinare a casa / andare al ristorante etnico

5 andare in pizzeria / andare al fast food

Attività 6.2

A

Una nota rivista di cibo ha chiesto ai suoi lettori di parlare delle loro abitudini alimentari. Leggete i profili di sei lettori poi rispondete alle domande.

A well-known food magazine has asked readers to talk about their eating habits. Read the profiles of six readers, then answer the questions.

Luciano ha 41 anni e fa il manager per una nota industria farmaceutica. Beve moltissimo caffè e fa sempre un pasto veloce: un piatto di pasta o un secondo con carne o uova. Mangia raramente pesce o verdure.

Annalisa ha 26 anni ed è studentessa di clarinetto al conservatorio. Non ha precise abitudini alimentari. Mangia spesso fuori casa: in mensa o al fast food o, se vuole mangiare bene, fa visita a suo zio Mario che fa il cuoco in una trattoria dove si cucinano piatti della tradizione italiana.

Daniela ha 32 anni ed è attualmente in cerca di occupazione. Lei è vegetariana da sei anni ma ha un debole per i dolci. A colazione di solito mangia yogurt e cereali, qualche volta frutta. A pranzo mangia poco, al massimo un po' di verdura con del riso o un piatto di pasta e legumi.

Laura è un'operaia cinquantenne. A colazione beve soltanto un succo di frutta perché fa i turni e lavora di notte, così a pranzo mangia qualcosa di veloce perché si alza tardi. Non le piace molto il pesce e nemmeno le verdure, di solito mangia della pasta oppure, per variare, sceglie carne o uova.

Mario ha 40 anni e fa il veterinario. Ha una predilezione per le verdure e la frutta e mangia pochissima carne, poco pesce e poche uova. Fa colazione con una macedonia di frutta e spremuta d'arancia. A pranzo, in mensa, mangia un minestrone o della pasta con olio crudo. Il pomeriggio fa uno spuntino con una bella fetta di torta, perché è molto goloso. La sera invece, cucina una bella zuppa di legumi, ricca di proteine.

Margherita ha 43 anni ed è casalinga. Dedica molto tempo alla cucina e va raramente a mangiare fuori. In genere prepara piatti tradizionali: risotti, pasta fatta in casa, arrosti.

1 Solo tre persone fanno colazione. Cosa mangiano?

2 Due persone mangiano alla mensa a mezzogiorno. Chi sono ?

3 Chi mangia poco a pranzo?

4 Chi non mangia il pesce?

5 Chi mangia poca carne?

6 Chi mangia spesso fuori casa?

7 Chi fa la pasta in casa?

8 Due persone non mangiano spesso verdure. Chi sono?

B

Ora tocca a voi! Scrivete anche voi il vostro profilo, ovviamente in prima persona, seguendo il modello di quelli sopra, parlando delle vostre abitudini alimentari. (40–50 parole)

Now it's your turn! Write your own profile, in the first person of course, following the example of those above, talking about your eating habits. (40–50 words)

Not everyone approves of the changes in eating habits in Italy. The Slow Food movement has emerged in response to fast food, and in an attempt to preserve and promote traditional methods of food production.

Attività 6.3

Leggete i due testi qui a fianco e collegate le espressioni con le parole o frasi nel testo che hanno lo stesso significato.

Read the two texts on the right and match the definitions with words and phrases in the texts that have the same meaning.

1 l'assaggio di cibi e bevande

2 piatti preparati in anticipo

3 la sede locale di Slow Food

4 imprese che producono cibi o altro

5 una specie di bar-pizzeria dove si mangiano panini, tramezzini, arancini di riso, crocchette di patate, ecc.

Lo Slow Food – che cos'è?

Un evento Slow Food

'Salina Isola Slow', è un evento dedicato al cibo di qualità organizzato dalla condotta Slow Food Valdemone Messina. A Salina (Isole Eolie) c'è rispetto per la natura e per il lavoro tradizionale. L'evento si svolge a giugno, con visite a tutte le località dell'isola per far conoscere le sue ricchezze gastronomiche, in particolare il cappero e la malvasia. I visitatori possono partecipare a passeggiate guidate alle zone e alle aziende di produzione, con varie degustazioni e anche un giro dell'isola in barca con degustazione a bordo! Per informazioni vedete il sito www. slowfoodmessina.it.

(Adattato da www.repubblica.it) [consultato il 24 agosto 2010]

Un commento ... italiano

'Nella patria delle tavole calde e dello Slow Food non si può servire pizza surgelata e piatti precotti. Meglio una classica pizzeria o una buona tavola calda.'

(Anon)

Cultura e società

The Slow Food movement

Slow Food is a non-profit, eco-gastronomic, member-supported organisation aimed at counteracting fast food and fast life.

The International Slow Food movement was founded by Carlo Petrini in 1986, following a demonstration by him and his followers against McDonald's plan to build a franchise outlet near Piazza di Spagna in Rome. They believed it was time to react to the creeping 'invasion' of Italy by fast food chains. Nowadays, there are about 410 local branches of the Slow Food movement in Italy called *condotte* and the movement currently has over 100,000 members in 132 countries.

The main task of the *condotte* is organising fairs, markets and events locally and internationally to showcase products of quality and offer consumers the opportunity to meet producers. The most famous fairs in Italy are *Salone del Gusto* and *Cheese and Slow Fish*, but there are many more local events taking place throughout Italy.

(Adattato da www.slowfood.com) [consultato il 16 settembre 2010]

Attività 6.4

Osservate questo grafico, poi fate gli esercizi alla prossima pagina.

Look at the graphic, then do the exercises on the next page.

I prodotti alimentari: quanto spendono gli italiani al mese?

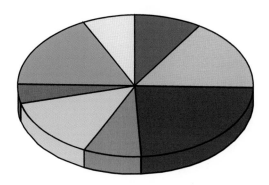

- ■ BEVANDE 35 euro
- ▢ PANE E CEREALI 63 euro
- ■ CARNE 91 euro
- ▦ PESCE 31 euro
- ▢ UOVA, LATTE E FORMAGGI 54 euro
- ■ OLI E GRASSI 17 euro
- ▦ PATATE, FRUTTA E ORTAGGI 66 euro
- ▢ ZUCCHERO, CAFFÈ E ALTRI 28 euro

Le famiglie italiane spendono soprattutto per la carne e per i prodotti tipici della dieta mediterranea: frutta e ortaggi, pane e cereali.

A

Abbinate le due parti delle frasi basandovi sui dati che trovate nel grafico a torta relativo alle spese alimentari degli italiani.

Combine the two halves of the sentences using the data shown on the pie chart illustrating Italians' expenditure on food.

1	Gli italiani spendono 63 euro al mese per acquistare...	(a)	zucchero, caffè e altri prodotti.
2	Gli italiani spendono la maggior parte dello stipendio mensile per acquistare...	(b)	carne.
		(c)	oli e grassi.
3	Gli italiani spendono la minima parte dei soldi mensili per acquistare...	(d)	pane e cereali.
4	Il penultimo posto nella graduatoria delle spese mensili è occupato da...		

B

Per ogni prodotto alimentare che trovate nel grafico a torta, scrivete una frase adatta che descriva ciò che è rappresentato nel grafico.

For each food product shown on the pie chart, write an appropriate sentence describing what is represented.

Esempio

Ogni mese un quarto della spesa alimentare è destinato alla carne.

C

Adesso date delle informazioni sulla vostra spesa mensile per i prodotti alimentari, basandovi su almeno sei dei gruppi alimentari rappresentati nel grafico. (60–85 parole)

Now provide information about your own monthly expenditure on food, based on at least six of the food groups shown in the pie chart. (60-85 words)

Potete iniziare così:

Ogni mese io spendo circa il 25% dello stipendio per acquistare...

Attività 6.5

A

Leggete l'articolo e rispondete alle domande qui sotto.

Read the article and answer the questions below.

Arriva la crisi, gli italiani sono più attenti al portafogli

Ogni volta che il paese è attraversato da una crisi economica, cambiano le abitudini alimentari degli italiani perché ogni famiglia deve affrontare delle ristrettezze economiche. Gli italiani fanno immediatamente più attenzione alla spesa e sette su dieci si lasciano convincere dal prezzo.

Secondo un'indagine condotta da Format-Salute / la Repubblica per riempire il carrello in tempo di crisi ogni settimana gli italiani spendono in media 80 euro. Si mangia di più a casa e si preferiscono pasta e riso, perché le verdure sono troppo care.

Gli uomini sono meno attenti delle donne, che invece sono disposte a sacrificare i propri gusti per comprare qualcosa di economico. Per fronteggiare la crisi gli italiani cambiano anche punto vendita: vincono discount e supermercati, a discapito di mercati rionali e dei negozi al dettaglio sotto casa. Ma anche se si spende meno, si cerca sempre la qualità: l'85% delle persone cerca di evitare cibi contaminati.

(Adattato da Adele Sarno, http://canali.kataweb.it/salute/2009/11/25/crisi-italiani-piu-attenti-a-tavola-ma-per-sette-su-dieci-sceglie-il-prezzo) [consultato il 16 settembre 2010]

Vocabolario

le ristrettezze   *(financial) straits, scarcity, shortage*

il mercato rionale   *the local market*

i negozi al dettaglio   *retail shops*

1   Che cosa cambia quando c'è una crisi economica?

2   Che cosa convince gli italiani a comprare cibo e bevande?

3   Perché aumenta il consumo di pasta e riso durante i periodi di crisi economica?

4   Perché le donne sacrificano i propri gusti?

5   Gli italiani comprano prodotti nei mercati rionali e nel negozio al dettaglio quando c'è la crisi?

Lingua 6.1

The pronoun *si*

Throughout the course, you have seen the pronoun *si* used in several different ways:

1   *Si riflessivo*

> I bambini **si alzano** alle otto.
> The children get up at eight o'clock.

Here *si* means 'himself/herself/themselves' and is an integral part of reflexive verbs such as *alzarsi*, *svegliarsi* and *vestirsi*.

2   *Si impersonale*

Sometimes *si* is used with the sense of the English 'we' or 'one / you', for example:

> A che ora **si parte**?
> *What time are we leaving?*

> Non **si sa** mai.
> *You never know. / One never knows.*

> **Si va**?
> *Shall we go? / Are we off?*

> Non **si fa** così.
> *That's not how it's done. / You don't do it like that.*
>
> or *One doesn't do that. / That isn't done.*

In the examples above, the impersonal *si* (*si impersonale*) is used when no particular person is referred to. It is used with both transitive and intransitive verbs but only in the singular. You are already familiar with '*si può...*', and the construction is also mentioned in *Attività 1.14*.

3   *Si* is also used in **generalisations**, where the focus is on the action carried out and not on the person carrying it out:

> Dove **si possono** assaggiare **delle buone specialità** locali...
> *Where the local specialities can be tasted...*

> A casa mia **si mangia** spesso **il risotto**.
> *At my house, risotto is often eaten.*

> Alla mia scuola **si parlano** dieci **lingue** diverse.
> *At my school ten different languages are spoken.*

In the examples above, *si* is used to make the construction **passive** ('the local specialities **can be tasted**'), so is called *si passivante*. The nouns shown in bold in the examples (*delle specialità, il risotto, lingue*) are the subjects of each sentence, so to help understand the construction you could invert the usual word order to see it as *il risotto si mangia* ('risotto is eaten'), or *dieci lingue si parlano* ('ten languages are spoken').

As you can see, *si passivante* can used with both singular and plural nouns, with appropriate change of the verb to the plural form (e.g. *si parlano*).

B

Ecco lo stesso articolo. Questa volta mancano i verbi con 'si': completate il testo con le frasi adatte.

Here is the same article. This time the verbs with si *are missing: complete the text by filling the gaps with the correct phrase.*

> Ogni volta che il paese è attraversato da una crisi economica, cambiano le abitudini alimentari degli italiani perché ogni famiglia deve affrontare delle ristrettezze economiche. Gli italiani fanno immediatamente più attenzione alla spesa e sette su dieci ___ _____ dal prezzo.
>
> Secondo un'indagine condotta da Format-Salute / la Repubblica, per riempire il carrello in tempo di crisi ogni settimana gli italiani spendono in media 80 euro. _____ di più a casa e _____ pasta e riso, perché le verdure sono troppo care.
>
> Gli uomini sono meno attenti delle donne, che invece sono disposte a sacrificare i propri gusti per comprare qualcosa di economico. Per fronteggiare la crisi gli italiani cambiano anche punto vendita: vincono discount e supermercati, a discapito dei mercati rionali e dei negozi al dettaglio sotto casa. Ma anche se _____ _____ meno, _____ _____ sempre la qualità: l'85% delle persone cerca di evitare cibi contaminati.

Suggerimento

Using a bilingual dictionary to get grammatical information

Apart from telling you the meaning of words, a good bilingual dictionary can give you useful grammatical information about a word. To be confident in using a dictionary, you need to be familiar with the abbreviations used. These will tell you whether a word is a noun (*sostantivo*), adjective (*aggettivo*), adverb (*avverbio*) or verb (*verbo*), etc. and whether a noun is masculine (*sostantivo maschile* or s. m.) or feminine (*sostantivo femminile* or s. f.), for instance. For most nouns, the gender is obvious, but there are many exceptions to the basic rule of the -*o* ending for masculine and -*a* ending for feminine. It's important to get it right so that you can make the article and adjective agree. If the noun has an irregular plural, the dictionary will also show this, for example *uovo* (pl. *uova*, f.).

C

Ecco una lista di parole tratte dall'articolo 'Arriva la crisi': cercate il loro significato nel dizionario e prendete nota delle abbreviazioni usate. Pensate a che cosa significano le abbreviazioni e poi controllate le vostre risposte.

Here is a list of words from the article 'Arriva la crisi': look them up in the dictionary and make a note of their meaning and of the abbreviations used to give information about them. Think about what the abbreviations mean, then check your answers.

- spesa
- prezzo
- verdure
- cibi

The next activity looks at Italian regional cuisine and celebrations of local produce such as festivals and food fairs.

Attività 6.6

A

Cosa sapete della cucina regionale in Italia? Dove trovereste i seguenti piatti? Abbinate la regione al piatto o prodotto alimentare, scegliendo dalla lista delle regioni qui sotto. I nomi dei piatti vi possono aiutare.

What do you know about Italian regional cuisine? Where would you find the following dishes? Match the region to the dish or food, choosing from the list of regions below. The names of the dishes might help you.

I piatti	Le regioni
1 pizza napoletana	(a) Abruzzo
2 lasagne bolognesi	(b) Piemonte
3 baccalà alla vicentina con polenta	(c) Lombardia
	(d) Emilia Romagna
4 pecorino sardo	(e) Campania
5 caponata	(f) Sicilia
6 zuppa di farro	(g) Toscana
7 maccheroni alla chitarra	(h) Sardegna
	(i) Lazio
8 risotto alla milanese	(j) Veneto
9 pasta all'amatriciana	
10 bagna caôda (*This is Piemontese dialect; in Italian it would be bagna calda.*)	

Anche i dolci hanno un sapore regionale! Ecco la tipica 'sfogliatella' di Napoli con un bel caffè macchiato.

Cultura e società

Italian regional cuisine

Italian cuisine is best described as a collection of regional cuisines. Each of the 20 regions has its own cuisine, based on local products and tradition. These range from *pesto* in Liguria,

Trofie al pesto, Genova

in the west, to the *baccalà alla vicentina* of the Veneto region, in the east, and from *polenta*, in the north, to *cous cous* and *cassata* in Sicily, heavily influenced by its Arab past.

Not only does history play a part but geography and climate also determine key ingredients. With good grazing for dairy cattle, Northern Italians often use butter for cooking, while the olive growing in the south means olive oil is more commonly used. Even the types of pasta and bread eaten vary from region to region. Many regions have their own distinctive cheese, from the *burrata* of Puglia to the *bitto valtellinese* of northern Lombardia; the buffalo of the Cilento region of Campania are milked to produce *mozzarella di bufala*. Much of Sardegna's grazing land will only support sheep, and many *agriturismi* cook *agnello arrosto* as well as the traditional spit-roast *porceddu*, while sheep's milk is used to produce *pecorino sardo*. Fish features widely on menus, since most

Pastiera napoletana

Italian regions have direct access to the sea. Two of the most exported Italian products are produced in the central Italian region of Emilia Romagna, well known for good food: *prosciutto di Parma* and *parmigiano* cheese.

Regional food products are theoretically protected from imitation by the *denominazione di origine protetta* (DOP) labelling, similar to the *denominazione di origine controllata* (DOC) labelling for wines.

B

Leggete il testo e rispondete alle domande qui sotto, indicando se le risposte sono vere o false. Se false, date la versione corretta della risposta.

Read the text and answer the questions below, indicating if the answers are true or false. If false, give the correct version of the answer.

Pasta, riso e polenta

La produzione della pasta in Italia è stata influenzata dalle condizioni climatiche.

Prima dell'industrializzazione la pasta fatta con grano duro, acqua e un po' di sale era molto popolare al Sud dove la temperatura più calda e il sole favorivano il processo di seccatura.

Orecchiette, una pasta pugliese

L'Italia centrale e il Nord (specialmente l'Emilia Romagna e il Piemonte) sono invece regioni note per la pasta fresca, o pasta all'uovo, fatta con uova, farina e sale come per esempio tagliatelle, tagliolini o pappardelle.

Ma il Centro e il Nord Italia sono anche aree molto conosciute per la pasta ripiena, come per esempio ravioli o tortellini.

Pasta ripiena – agnolotti fatti in casa

Nel Nord Italia la polenta è sempre stata un'alternativa alla pasta, specialmente nelle regioni povere o dove il clima non era favorevole, ad esempio la Lombardia o il Veneto. La polenta è un piatto fatto con farina di mais, servito con sughi a base di carne o verdure.

L'Italia del Nord è anche molto famosa per il risotto: Arborio, Carnaroli and Vialone Nano sono tutti tipi di riso coltivati nel Nord Italia.

(Adattato da http://italianfood.about.com/ library/weekly/blregional.htm) [consultato il 16 settembre 2010]

		Vero	Falso
1	L'Italia centrale e il Nord sono note per la pasta fresca.	☐	☐
2	L'Italia meridionale è nota per la polenta.	☐	☐
3	Le tagliatelle e i tagliolini sono una forma di pasta fresca.	☐	☐
4	La polenta viene servita con sughi a base di pesce.	☐	☐
5	Arborio, Carnaroli e Vialone Nano sono tutti tipi di pasta.	☐	☐
6	Ravioli e tortellini sono esempi di pasta ripiena.	☐	☐
7	Gli spaghetti sono una forma di pasta fatta con grano duro.	☐	☐

C

Leggete il testo qui sotto poi scrivete due o tre righe in italiano su quattro sagre che ritenete interessanti.

Read the text below and write two to three lines in Italian on four sagre *that you find interesting.*

Feste, fiere e sagre

Nel calendario italiano ci sono centinaia di feste e sagre tradizionali. Le feste, anche quelle religiose, hanno spesso un legame con i riti di origine pagana. Ogni paese ha un santo patrono la cui festa viene celebrata ogni anno, spesso diventando elemento di grande attrazione per turisti e visitatori. Le feste religiose di solito hanno sempre un elemento religioso con la processione e la messa, ma ci possono essere anche esibizioni folcloristiche, bande, danzatori o cortei. Alcune feste risalgono al medioevo, ad esempio il Palio di Siena (Toscana), mentre altre sono di origine più recente. Le sagre invece sono spesso dedicate a prodotti locali o regionali e offrono degustazioni di prodotti tipici per promuovere i prodotti della zona.

Cultura e società

Food festivals and fairs

Sagra delle Ciliegie, Lari, Toscana

Every region in Italy has its own local fairs – *le feste, le fiere* and *le sagre* – often linked to a cultural, religious or musical event. *Le sagre* tend to focus on local food products, such as *la Sagra dei Broccoletti, la Sagra del Cinghiale, la Sagra del Radicchio. Le feste* and *le fiere* are more generic and *le fiere* can include trade fairs, exhibitions, etc.: *la Fiera dell'Elettronica, la Fiera dell'Adriatico, la Fiera del Libro,* etc. *Le feste* usually have a religious origin, for example, they may celebrate the patron saint of the village. In some cases, long-forgotten *feste* and *sagre* have been revived, often with a view to encouraging tourism.

Le sagre are normally organised by a local group, the *pro loco*, or local tourist organisation. In popular tourist areas there are frequent *sagre* in the peak tourist season. Just to give one example, in the province of Lucca (Tuscany) alone, a typical selection of events includes the following *sagre*: *Sagra delle Frittelle di Castagne* (Villa Basilica), *Sagra dell'Aglio* (Montefegatesi), *Sagra della Focaccia* (Gallicano), *Sagra del Vino* (Montecarlo), *Sagra della Patata* (Pescaglia)

and *Sagra della Zuppa* (Aquilea). In *Barga*, as a tribute to the long-standing Scottish-Italian connection there, the *Sagra del Pesce e Patate* at the end of July celebrates fish and chips!

Another aspect of eating habits is diet. In the activities that follow you will read about healthy eating and learn new vocabulary and linguistic structures as well as practising giving advice or instructions using the present conditional and the informal imperative.

Attività 6.7

A

Alessandro durante il periodo natalizio è ingrassato molto e ha deciso di chiedere aiuto ad un dietologo che fornisce consigli su una chat line. Ha un buon motivo per volere perdere i chili in più: scoprite qual è! Leggete la trascrizione della conversazione tra Alessandro e il dietologo e rispondete alle domande sotto.

Alessandro has put on a lot of weight during the Christmas holidays and has decided to seek advice using a dietician chat line service: he has a good reason for wanting to lose weight, find out what it is! Read the transcript of the conversation between Alessandro and the dietician and answer the questions below.

Dal dietologo

DOTTORE Buongiorno signor Alessandro, come va?

ALESSANDRO   Non molto bene dottore! Purtroppo sono ingrassato quattro chili durante le vacanze di Natale.

DOTTORE Per la verità non mi meraviglio... è difficile resistere al panettone, ma con un po' di volontà vedrà che li perderà subito.

ALESSANDRO   Grazie, Lei è molto rassicurante... allora mi peso?

DOTTORE Sì, vediamo... Potrebbe salire sulla sua bilancia per favore? Le consiglierei però di togliersi le scarpe.

ALESSANDRO D'accordo. Allora vediamo... mamma mia!! Non sono quattro sono sei chili in più!

DOTTORE Su coraggio, non è la fine del mondo!

ALESSANDRO Veramente, non sarei così sicuro... devo assolutamente entrare nel mio vestito da sposo entro la fine del prossimo mese... o ho paura che non ci sarà più un matrimonio...

DOTTORE Ma no, cosa dice! E piuttosto, congratulazioni, non sapevo nulla. Allora, io crederei opportuno iniziare con una dieta purificatrice per tre giorni. Le raccomanderei di non bere caffè o alcolici e mangiare solo frutta e verdura per tre giorni.

ALESSANDRO Cominciamo bene... morirò di fame di sicuro. Potrei almeno mangiare del pane?

DOTTORE Assolutamente no: io le suggerirei invece di evitare il pane. Potrebbe sostituire il pane con dei grissini, ma solo due al giorno, mi raccomando.

ALESSANDRO Mi piacerebbe avere un cibo sostitutivo per il pane, ma purtroppo i grissini non mi piacciono.

DOTTORE Dovrebbe sapere che le diete implicano sempre dei sacrifici...

1 Di quanto è aumentato Alessandro?

2 Che cosa deve fare Alessandro prima di pesarsi?

3 Che cosa accade alla fine del prossimo mese?

4 Qual è il pericolo per Alessandro se non dimagrisce?

5 Che cibo non può mangiare Alessandro?

B

Riflettete: il condizionale presente può essere usato per vari scopi comunicativi. Qual è quello maggiormente usato nella conversazione 'Dal dietologo'? Fate un segno accanto alla risposta che ritenete adatta.

Reflect on the following: the present conditional tense can be used for various communicative purposes. What is its main purpose in the dialogue 'Dal dietologo'? Tick the appropriate box.

To express a possibility or a supposition ☐

To express a wish ☐

To make a polite request ☐

To give advice ☐

To make a suggestion ☐

Lingua 6.2

Giving advice using the present conditional

In *Attività 6.7A* the dietician uses the present conditional tense to give advice to Alessandro. Here are some more examples of how to give advice:

Dovrebbe cucinare cibi con olio di oliva e non burro.
You (= polite form) should cook food with olive oil and not butter.

Potresti evitare i dolci se veramente vuoi perdere peso.
You could avoid sweet things if you really want to lose weight.

Le **consiglierei** di provare il vino Verdicchio.
I would recommend that you try the Verdicchio wine.

Se ti piace la frutta, ti **suggerirei** di andare alla Sagra della Fragola a Chiaravalle a maggio.
If you like fruit, I would suggest you go to the strawberry festival in Chiaravalle in May.

C

Usate le frasi qui sotto (tratte dalla conversazione della sezione A) per scrivere un promemoria che Alessandro può portare con sé per ricordare i suggerimenti del dietologo. Usate i verbi 'dovrei', 'farei meglio a', 'sarebbe meglio', 'potrei' + l'infinito.

Use the sentences below (taken from the conversation in part A) to write a memo that Alessandro can take with him to remember his dietician's advice. Use the verbs 'dovrei', 'farei meglio a', 'sarebbe meglio', 'potrei' + infinitive.

Esempio

Prima di salire sulla bilancia le consiglierei di togliersi le scarpe.

Dovrei togliermi le scarpe prima di salire sulla bilancia.

1 Mi piacerebbe avere un cibo sostitutivo per il pane.

2 Potrebbe sostituire il pane con dei grissini, ma solo due al giorno, mi raccomando.

3 È difficile resistere al panettone, ma con un po' di volontà vedrà che li perderà subito.

4 Le raccomanderei di non bere caffè o alcolici.

5 Le suggerirei invece di evitare il pane.

D

Abbinate le lettere ai numeri per ottenere delle frasi complete e dare consigli utili ai vostri amici e colleghi su come mangiare sano, seguire una dieta o dimagrire.

Match the letters to the numbers to make full sentences and give useful advice to your friends and colleagues on healthy eating, being on a diet or losing weight.

1 Io ti consiglierei di mangiare regolarmente...

2 Io le consiglierei di fare la sauna...

3 Io gli consiglierei di mangiare solo yogurt...

4 Io vi consiglierei di evitare creme e salse...

5 Io le consiglierei di mangiare solo carote...

(a) perché contengono molte vitamine.

(b) perché si perde peso velocemente.

(c) perché è più facile controllare le calorie.

(d) perché è ottimo per la flora intestinale.

(e) perché sono ricche di grassi.

Attività 6.8

A

Leggete l'articolo qui sotto 'Basta consigli!' e sottolineate tutti i verbi all'imperativo informale.

Read the article below 'Basta consigli!' and underline all the verbs in the informal imperative.

Basta consigli!

Uffa! Mia madre è sempre pronta con i consigli! 'Mangia la frutta che ti fa bene!', 'Non bere tanta acqua che ti gonfia!', 'Smetti di fumare, le sigarette sono dannose per la salute, c'è anche scritto sul pacchetto', 'Prendi un po' di insalata, ti fa bene', 'Non uscire tutte le sere, ti stanchi troppo', 'Ma guarda come sei pallida, va' a letto, riposati!', e subito dopo... 'Alzati dal letto, sono le otto!' Non ne posso più!

Lingua 6.3

Giving instructions using the informal imperative

In Italian you can give instructions or advice using the imperative verb form. In this section you will be focusing just on the informal imperative. This is the form you would use with people you would normally address as *tu* rather than the more formal *Lei*. The imperative form is very common in Italian; it does not necessarily imply rudeness or bossiness as it can do in some languages. However, it's worth listening to and practising the correct intonation, so that you don't come across as pushy or aggressive.

Follow these patterns to form the **informal imperative**:

Verbs ending in *-are*	
MANGIARE	Mangia!
GUARDARE	Guarda!
RIPOSARSI	Riposati!
ALZARSI	Alzati!

Mangia più verdure per una dieta equilibrata!
Eat more vegetables for a more balanced diet!

Verbs ending in *-ere* and *-ire*	
PRENDERE	Prendi!
SPEGNERE	Spegni!
SENTIRE	Senti!
PULIRE	Pulisci!
VESTIRSI	Vestiti!

To form the **negative informal imperative**, simply add *non* before the infinitive form of the verb:

Non uscire tutte le sere!
Don't go out every evening!

MANGIARE	Non mangiare!
BERE	Non bere!
USCIRE	Non uscire!

B

Completate le frasi con l'imperativo informale dei verbi che trovate nella casella. Usate la forma negativa quando serve.

Complete the sentences with the informal imperative of the verbs listed below. Use the negative form when necessary.

fare • andare • organizzare • mangiare • restare • controllare • fumare • invitare • uscire • cercare • bere

Se hai problemi ad addormentarti _____ troppo a cena, _____ caffè, _____ invece una tisana, _____ troppe sigarette, _____ la temperatura della camera da letto, _____ una doccia calda e _____ a letto sempre alla stessa ora.

Se vuoi conoscere gente nuova, _____ a casa, _____ con gli amici, _____ a ballare, _____ sport, _____ di essere meno timido, _____ delle feste o _____ semplicemente gente a casa tua.

C

Abbinate l'imperativo alla forma corrispondente dell'infinito. Attenzione, sono tutte forme irregolari.

Match the imperative to the appropriate infinitive. Watch out, they are all irregular forms.

Infinitive		Imperative	
1	andare	(a)	fa'
2	avere	(b)	di'
3	dire	(c)	sta'
4	essere	(d)	abbi
5	fare	(e)	va'
6	dare	(f)	da'
7	stare	(g)	sii

D

Date dei consigli al vostro amico che vuole perdere peso. Usate l'imperativo informale. Nella colonna B scrivete l'imperativo informale del verbo nella colonna A, poi completate la frase scrivendo nella colonna C una delle opzioni indicate. Potete usare anche la forma negativa. Il primo è già fatto come esempio.

Give your friend, who wants to lose weight, some useful advice. Use the informal imperative. In column B write the informal imperative of the verb in column A, then complete the sentence by writing one of the options below in column C. You can also use the negative form. The first one has already been done as an example.

	A	B	C
	Verbo	Imperativo	Resto della frase
1	andare	Va'	a piedi.
2	variare		
3	mangiare		
4	limitare		
5	contare		
6	salire		
7	prendere		
8	comprare		
9	bere	Bevi	
10	fare		

più acqua
i cibi già pronti   **a piedi**
la cioccolata
la dieta   le scale
poco burro
un po' di footing   l'ascensore
le calorie

Attività 6.9

A

Leggete l'articolo qui sotto 'Come mangiare meglio'. Individuate le forme dell'imperativo informale usate con pronomi diretti e rispondete alla domanda.

Read the article below entitled 'Come mangiare meglio'. Identify the forms of the informal imperative used with direct pronouns and answer the following question.

> Where do you place the direct object pronouns (*mi / ti / lo / la / ci / vi / li / le*) when used with the informal imperative?

Come mangiare meglio

A tavola è importante non solo quello che si mangia, ma anche come si mangia. I ritmi di vita moderni e lo stress ci hanno fatto perdere il gusto di stare a tavola. La cucina è diventata veloce e mangiare non sempre è un'occasione per stare insieme agli altri. Per ritrovare la voglia di mangiare bene e salvare la 'vecchia tavola' basta osservare alcune regole:

1 Prendi tempo per mangiare anche se ti sembra di non averne.

2 Non mangiare in piedi anche se sei solo! Apparecchia la tavola e mangia con calma.

3 Non guardare la TV mentre mangi! Spegnila ! Puoi guardarla dopo, per digerire.

4 Non fare la spesa al supermercato, falla nei piccoli negozi o se proprio vuoi farla al supermercato, fa' attenzione a quello che metti nel carrello, leggi sempre le etichette e scegli prodotti locali.

5 Cerca prodotti biologici e comprali. Sono più cari, ma più sicuri.

6 In ogni paese ci sono prodotti e tradizioni culinarie che rischiano di scomparire. Sostienili e falli conoscere anche ad altre persone.

Lingua 6.4

Using the informal imperative with direct object pronouns

The informal imperative can be used with a direct object pronoun. This structure is only used in spoken communication or informal written texts.

> Basta televisione! **Spegnila!**
> *That's enough TV! Turn it off!*

> Non uscire con le scarpe sporche ! **Puliscile** !
> *Don't go out with dirty shoes! Clean them!*

> Non abbiamo più spaghetti. **Comprali.**
> *We've run out of spaghetti. Buy them.*

Direct object pronouns

Singular	Plural
mi	ci
ti	vi
lo	li
la	le

Here are some more examples, with the direct object and its equivalent pronoun both highlighted in bold:

> **Il film** che ho visto ieri è bello, guarda**lo**!

> Ho finito **la farina**, compra**la** al supermercato!

> Abbiamo raccolto **i funghi**, cuciniamo**li** per cena!

When the informal imperative is a monosyllable (like *va'*, *da'*, *fa'*, etc.), the direct pronouns double their initial consonant to produce the forms *dallo*, *dillo*, *fallo*, etc.

> Il vino? **Dallo** a mio fratello!
> *The wine? Give it to my brother!*

> Quando faccio la spesa? **Falla** più tardi!
> *When shall I do the shopping? Do it later!*

> Dove posso lasciare i miei libri? **Dalli** a me!
> *Where can I leave my books? Give them to me!*

B

Trasformate le frasi seguendo l'esempio: sostituite la parte in grassetto con i pronomi diretti.

Change the sentences following the example: replace the part in bold with direct object pronouns.

Esempio

Compra **un etto di prosciutto**!
→ *Compralo!*

1 Porta **lo zucchero**!

2 Bevi **il succo di frutta**!

3 Prepara **la torta**!

4 Scrivi **la lista della spesa**!

5 Limita **i grassi per condire**!

6 Aggiungi **l'insalata nella dieta**!

7 Salta **i pasti** per dimagrire!

8 Conta **le calorie settimanali**!

9 Evita **gli zuccheri**!

10 Mangia **verdure ricche di vitamine**!

Eating and drinking has a central place in family life and social life in Italy. Special occasions have their own special meals and traditions, for example, the *Cena della Vigilia* (Christmas Eve dinner) and the *Cenone di Capodanno* (New Year's Eve dinner). In the next activities you'll talk about preparing a meal, using the verb *servire* to say what you need.

Attività 6.10

A

Leggete l'e-mail che Chiara ha scritto a sua madre e sottolineate il verbo 'servire' in tutte le sue forme.

Read the email Chiara wrote to her mother and underline all forms of the verb servire.

Aiuto per capodanno: mamma per favore rispondimi!!

Ciao mamma!

Solo una brava cuoca come te può aiutarmi!

Per il 31 dicembre io e alcuni miei amici (in tutto saremo in nove) facciamo un cenone di capodanno a casa di un nostro amico. Indovina chi deve fare la spesa? Si proprio IO!! Sono insicura su cosa mi serve. Abbiamo deciso, come da tradizione, di mangiare le lenticchie e lo zampone a mezzanotte, ma prima ci piacerebbe cucinare della carne arrosto con verdure al forno e insalata, seguiti dagli immancabili dolci natalizi: panettone o pandoro, torrone e frutta secca.

Allora, di sicuro mi servono le lenticchie! Quante? Poi mi servono quattro o cinque zamponi. Per l'arrosto non ho idea: quanta carne mi serve?? Forse mi serve anche il pane a pensarci bene... Si, direi che mi servono circa tre chili di pane e tre chili di bistecche. Vorrei cucinare anche delle ottime salsicce nostrane, me ne servono due chili per nove persone, no? Per le verdure arrosto avrei pensato ai pomodori, ma quanti pomodori mi servono per tutti? E i dolci, e la frutta secca? Non ho pensato al vino!! Che disastro mammina... aiutami tu, mi serve una mano!

Come erano belli i cenoni di capodanno a casa tua! Pensavi a tutto tu!

TVB

Chiara

Vocabolario

nostrano,-a   *produced locally*

TVB   *short form for* ti voglio bene, *as used in SMS or informal writing*

B

Come si usa il verbo 'servire'? Trovate degli esempi nel testo che avete appena letto e scrivete degli appunti in inglese o nella vostra lingua.

How is servire *used? Find examples in the text you have just read and make notes in English or in your own language.*

Lingua 6.5

Expressing need using *servire*

One way of expressing need is to use the verb *servire*.

Servire is used primarily in two forms: in the present tense *serve* ('it is needed') and *servono* ('they are needed'):

> Per fare il sugo di pomodoro, **serve** il passapomodoro.
> *To make tomato sauce, you need a passapomodoro. (This is a type of moulis for puréeing tomatoes.)*

> **Servono** più pomodori per fare il sugo.
> *You need more tomatoes to make the sauce. (literally: More tomatoes are needed to make the sauce.)*

Servire is also used with the indirect object pronouns *mi / ti / gli / le / ci / vi / gli* to express what different people need, following the same construction as *piacere*:

> **Ti serve** del pane pugliese?
> *Do you need any Puglian bread?*

> **Gli serve** il libro di cucina toscana. / A Luigi **serve** il libro di cucina toscana.
> *He needs the book on Tuscan cooking. / Luigi needs the book on Tuscan cooking.*

> **Mi servono** due chili di mele della Valtellina.
> *I need two kilos of Valtellina apples.*

> **Vi servono** i funghi porcini per il risotto?
> *Do you (pl.) need porcini mushrooms for (the) risotto?*

C

Completate le frasi con le forme adatte del verbo 'servire'.

Complete the sentences with the appropriate form of servire.

1   È molto difficile sapere quanti soldi_____ per organizzare la ventesima edizione della Sagra della Fragola.

2   A Paolo _____ subito un'idea per il menù di Natale.

3   Non ci _____ i tartufi di Aqualagna, sono buoni ma troppo cari!

4   Che cosa gli _____ per fare la famosa 'carbonara'?

5   Ho un problema: non mi ricordo quali ingredienti mi _____ _____ per preparare le frappe di Carnevale.

6   _____ il parmigiano sul risotto ai frutti di mare? No, sei matta? Non si usa il parmigiano con il pesce!

7   Ci _____ due chili di strozzapreti all'uovo.

Cultura e società

La Cena della Vigilia

Traditionally, Italian families gather on Christmas Eve for dinner, *la Cena della Vigilia*, also called *il Cenone della Vigilia*. It is traditional to serve dishes without meat, *le pietanze magre* (literally: 'lean dishes'), because this was considered a time to abstain from excessive feasting and therefore the meal normally centres on fish and vegetable dishes.

People choose the best fish available locally and order it days in advance at their favourite fishmonger's. *La Cena della Vigilia*, like all Italian festive meals, has several courses: *antipasto*, *primo* (*pasta o risotto*), *secondo* (normally all based on fish) and *dolce*. To accompany the meal, of course, *prosecco* or *spumante are also served*.

The meal ends with fresh and dried fruit, nuts and coffee with a liqueur such as *grappa* or *sambuca*.

Once again, regional differences are so strong that no two menus are alike. In Naples, most families prepare *struffoli,* tiny fried dough balls covered in honey. Another typical cake for Christmas and New Year is *panettone,* which originated in Milan but is now enjoyed all over Italy.

The final activity of this unit is to write an account of a traditional Italian meal that you cooked, whether it is la *Cena della Vigilia* or another. First read the *Suggerimento* which will help you plan your written text.

Attività 6.11

A

Leggete il menù per la vigilia di Natale. Volete sostituire alcuni piatti. Scegliete tra la lista due piatti alternativi per antipasto, primo e secondo.

Read the menu for Christmas Eve. You want to substitute some dishes. From the list of dishes below, choose two alternative suggestions for the antipasto, primo *and* secondo.

> Tagliolini panna gamberetti e zucchine
> Gamberetti in salsa cocktail
> Orata al sale
> Spiedini gratinati di seppie e gamberi
> Zuppa di pesce (con crostini)
> Crostini burro e salmone

- Antipasto:...
- Primo:...
- Secondo:...

Menu del Cenone della Vigilia

Il mio cenone della vigilia è tutto a base di pesce:

antipasti: insalatina di mare, cocktail di scampi, tartine al salmone, tartine ai gamberetti, cappesante gratinate.

bis di primi: risotto alla pescatora, spaghetti allo scoglio.

secondo: ogni anno cambia, ma quest'anno ho preparato i polipetti imbottiti con contorno di piselli.

dolce (fatto da me): l'anno scorso ho fatto l'albero di natale di profiterole...

e a mezzanotte... I REGALI!

(http://www.cookaround.com/yabbse1/archive/index.php/t-3456.html) [consultato il 16 settembre 2010]

Suggerimento

Making a plan for a written text

For a written text you need to organise the facts at your disposal into a coherent plan. This will ensure that you do not forget any important aspect of the question or discussion, and it will also make it easier for the reader to follow your argument. Your plan does not need to be very detailed – how much you write will depend on you and on the complexity of the task. It can range from a few keywords organised in a logical sequence to a whole page of notes, points and examples. The suggestions we give here relate to the final writing task that you will be carrying out in this unit but the guidelines can apply to any written task or assignment.

Planning the text

Start gathering your thoughts and ideas to write about the topic you have been set.

Structure of a written text

A written text is typically organised into three main elements: an introduction, the main body of the text, the conclusion.

- The **introduction**: this presents the theme and says what you will describe or discuss. For example, it might introduce the theme by saying what special occasion you were celebrating.

- The **main body** of the text: its content and structure depend on the nature of the task you have been set. You might need to relate events chronologically, to describe facts or objects thematically or you might have to present a point of view.

Depending on the length of the work you are asked to produce, you might want to split the main body of the text into subsections.

It is always a good idea to include examples to illustrate your point as often as possible. In writing about a meal or a restaurant, you probably want to describe the restaurant and/or talk about what dishes you chose and what dishes were available, using the appropriate past tenses, e.g. the perfect and imperfect tenses. Your account will probably follow the same order as the courses of the meal. You might want to include some contrasts, for example, the positive aspects and the negative aspects of the meal or the restaurant.

- A **conclusion**: this should provide either a summary of what you have written about, or the conclusion of your arguments. If appropriate, you should provide an answer to the question that was asked, or commit yourself to a point of view if you were asked to give your opinion. In the case of an account of a meal or a restaurant you are describing, this is the part where you might want to summarise your experience – was it good, bad or indifferent? – and to say whether you would recommend it and / or whether you would go there again.

Structuring your written account carefully will make it easy to read and ensure you don't leave anything out. Read your text at least twice for completeness and... the inevitable spelling errors.

B

Seguendo il *Suggerimento* qui sopra ed i passi qui sotto, raccontate la cena della vigilia passata nella vostra famiglia. Potete inventare i dettagli se preferite. Nell'ultima parte del racconto, date dei consigli e dei suggerimenti per la prossima volta. (150–250 parole)

Following the Suggerimento *above and the steps below, write an account of* la cena della vigilia *in your family; you can make up any details if you prefer. In the last part, give advice and recommendations for next time. (150–250 words)*

1   Start drafting your introduction for your account of *la cena della vigilia*. You could start like this:

    Voglio raccontarvi di un pasto tradizionale che…

2   Now for the main body of your account of *la cena della vigilia*. You could start like this:

    Quest'anno abbiamo iniziato la cena verso le otto e i…

3   In conclusion summarise your experience and say if it was good, bad or indifferent, and provide reasons why. Say whether you would do something differently next year. Use the present conditional or imperative to give advice to other people planning something similar. You could use a framework like this:

    La cena della vigilia è stata _____ perché _____ e il cibo era _____ lo suggerirei a tutti di _____ , ma sarebbe meglio _____ Perché il prossimo anno non _____ ?

Bilancio

Key phrases

Venti anni fa gli italiani pranzavano abbondantemente, mentre oggi fanno uno spuntino.

Gli italiani spendono 63 euro al mese per acquistare...

Gli italiani spendono la maggior parte dello stipendio mensile per acquistare...

Gli italiani spendono la minima parte dello stipendio mensile per acquistare...

Il penultimo posto nella graduatoria delle spese mensili è occupato da...

Dovresti mangiare la frutta e la verdura ogni giorno.

Ti consiglierei di mangiare carne rossa almeno una volta la settimana.

Ti suggerirei di inserire il pesce nella tua dieta settimanale.

Mangi troppo formaggio: sarebbe meglio ridurre i consumi di formaggio per non ingrassare.

Non dovresti mangiare dolci tutti i giorni.

Faresti meglio a bere un bicchiere di buon vino ad ogni pasto.

Portalo!

Scrivila!

Limitali!

Contale!

Mi / ti / gli / le / ci / vi / gli serve il vino.

Mi / ti / gli / le / ci / vi / gli servono le cipolle.

Here are some ideas and suggestions on how to organise what you have studied in this unit. You may wish to do all the activities or to select those that are particularly relevant to you in reinforcing your learning.

Memorising keywords and structures

To note down and memorise the keywords from this unit, try the following activities.

1   Write your shopping list in Italian and while choosing items from the shelves say in your mind a full sentence using *mi serve / mi servono*. If someone else is doing the shopping for you, think of the same sentences while writing down the shopping list.

2   Write model sentences to:

- give instructions using the informal imperative;
- use the informal imperative with direct and indirect object pronouns;
- give advice on people's eating habits using the present conditional.

Include as many different phrases for each as possible.

3   During your lunch break at work, or at home or during a meal out, look around at what people are eating and think in Italian about how you could suggest they improve their eating habits, either giving advice using the present conditional or giving them instructions using the informal imperative. You could write down or record your suggestions and instructions.

Cultura e società

What did you learn about Italian cuisine?

What did you notice about eating habits in Italy in comparison to the country where you live?

In your own country, do meals have an important place in family or social life, as they do in Italy?

Are there any occasions in your country which families traditionally celebrate with a special meal?

Chiave

Unità 1

Attività 1.1

1–(a); 2–(c); 3–(a); 4–(c); 5–(b).

Attività 1.2

A

1–(d); 2–(b); 3–(c); 4–(e); 5–(a)

B

1 Oggi i treni sono fermi.

2 Una ragazza è stata uccisa da un'auto rubata.

3 Berlusconi è stanco e deluso.

C

Here is the completed table.

Singolare maschile	Singolare femminile	Plurale
il nonno	la nonna	**i nonni**
il papà	**la mamma**	i genitori
il figlio	la figlia	**i figli**
il fratello		i fratelli
	la **sorella**	le sorelle
il nipote	la nipote	**i nipoti**
lo zio	la zia	gli zii
il cugino	la cugina	i cugini
il marito	la moglie	i coniugi

D

Here are some possible answers.

1 **Nonni e bambini: babysitter in casa**

Molte volte se i genitori lavorano, sono i nonni a prendersi cura dei bambini.

2 **Mamme giovani e single**

Cambia la famiglia tipo?
(*tipo* (= type) is used as an adjective here, meaning 'typical')

3 **In aumento i matrimoni civili**

Aumentano i matrimoni civili, diminuiscono i matrimoni in chiesa.

4 **Il pallone sempre di moda**

Non tutti i bambini preferiscono la PLAYSTATION.

Attività 1.3

A

There is no model answer for this question.

B

Here is a fact from the text about each of the points of the list.

I nonni spesso vivono in casa con i figli e partecipano alla vita familiare.

I giovani spesso vivono in casa con i genitori fino a 30 anni e si trasferiscono solo quando si sposano.

Le famiglie italiane **mangiano insieme** tutti i giorni soprattutto a **cena**.

La famiglia media è composta da genitori e figli, in genere un massimo di due figli.

C

Here are two possible answers.

Nel mio paese i giovani vanno a vivere per conto loro non appena hanno il loro primo lavoro o quando iniziano l'università. Raramente stanno a casa dei genitori fino a o oltre i 30 anni.

Nel mio paese d'origine la maggior parte delle famiglie ha più di due figli. A volte le famiglie mangiano insieme, a volte no. Se i genitori lavorano fuori casa, non possono stare tanto tempo in cucina.

Attività 1.4

A

1   (b), (c), (e)

2   More women have a job and combining work and family life is difficult.

3   In the south of Italy.

B

1   Il numero medio di figli per donna è sceso all'1,2 nel 1999.

2   La percentuale di coppie che si sposano è il 91,9% al Sud contro l'87,3% del Nord e l'86,3% del Centro.

3   La percentuale di coppie che convivono è il 10% al Centro, contro il 6,4% del Nord e il 3% del Sud.

4   I single sono 1.646.000 divisi tra celibi (840.000) e nubili (806.000).

C

1   incremento; crescita (*both are in the second paragraph*)

2   ha subito molte trasformazioni

3   rinunciare ai figli

4   celibi

5   nubili

Attività 1.5

A

1   Falso. Chiara ha tre nipoti: un maschio e due femmine.

2   Falso. Sua figlia ha un figlio solo, suo figlio ne ha due.

3   Vero.

4   Vero.

5   Falso. Si chiama Vittorio.

6   Falso. Ha una sorella più grande divorziata.

7   Falso. Ha un fratello e una sorella.

Note, however, that '*i miei fratelli*' can indicate not just two brothers but also one brother and one sister.

8   Vero.

9   Falso. Abita a casa con i genitori.

10   Vero.

11   Falso. I genitori di Giancarla sono autonomi, ma i genitori di suo marito hanno una badante.

12   Falso. I genitori di Chiara sono morti, ma i genitori di suo marito sono ancora vivi.

B

The words from the text relating to each are:

mio figlio, mio fratello, mio marito, mia figlia, mia sorella, i miei genitori, i suoi genitori, la loro badante, i loro vicini.

C

Here is the completed table.

(il) **mio**	(la) **mia**	(i) **miei**	(le) mie
(il) tuo	(la) tua	(i) tuoi	(le) tue
(il) suo	(la) sua	(i) **suoi**	(le) sue
(il) nostro	(la) nostra	(i) nostri	(le) nostre
(il) vostro	(la) vostra	(i) vostri	(le) vostre
(il) loro	(la) **loro**	(i) **loro**	(le) loro

1 Questa é mia sorella con **suo** marito e questi sono **i loro** figli.

2 Questo è mio marito Enzo e questi sono **i nostri** figli. (If the sons/daughters being introduced were Enzo's by another partner, it would be '*i suoi figli*'.)

3 Ciao Paola e Marco! Che belle bambine! Sono **le vostre** figlie?

4 Siamo andati a trovare **le nostre** cugine che abitano a Bari.

5 Vittorio frequenta il liceo linguistico e lunedì ho parlato con **il suo / la sua** insegnante.

6 Ho visto il mio amico Paolo con **la sua** fidanzata.

7 Abbiamo due macchine. **La mia** macchina è una Fiat 500.

8 Ciao Mara, come sta **tua** madre?

Here is a possible answer.

Caro Gino

Sono contento di avere finalmente un corrispondente in Italia. Va bene se io scrivo in italiano e tu mi scrivi in inglese?

Sono sposato da 23 anni, mia moglie si chiama Mhairi, è scozzese. Mhairi insegna chimica al liceo. Ho un figlio di 19 anni, Cameron, che studia medicina all'Università di Leicester e una figlia di 17 anni, Josie, che frequenta il liceo, e studia anche l'italiano! Ti mando una foto della mia famiglia.

Anche tu sei sposato? Hai figli?

Aspetto una tua lettera magari anche con la foto della famiglia.

A presto

Spencer

A

The superlatives in the text are:

la città più popolosa

la regione più popolata

la regione più piccola

la montagna più alta

l'isola più grande

B

1   Qual è il fiume più lungo d'Italia?

    Il fiume più lungo d'Italia è il Po.

2   Qual è l'università più antica d'Italia?

    L'università più antica d'Italia è l'Università di Bologna.

3   Qual è la città più grande d'Italia?

    La città più grande d'Italia è Roma.

4   Qual è il monte più alto d'Italia?

    Il monte più alto d'Italia è il Monte Bianco.

5   Qual è la regione più piccola d'Italia?

    La regione più piccola d'Italia è la Valle d'Aosta.

Attività 1.9

A

Here are the people mentioned in the text.

B

1   Ma che fine hai fatto?

2   È da un secolo che

3   mi tiene al corrente

4   quello che combini

5   ti sei trasferito

6   sono contentissimo

7   una persona in gamba

C

1 – (f), (i)

2 – (c), (e)

3 – (b), (h)

4 – (g), (j)

5 – (a), (d)

Silvia   Mario Andrea   Mara   Gianni

Flavia   Enzo

Attività 1.10

1 Tutti i lunedì mi alzo presto perché devo prendere il primo treno.

   Siccome devo prendere il primo treno, mi alzo presto tutti i lunedì.

2 Mi sono alzata presto perché dovevo prendere l'aereo.

   Siccome dovevo prendere l'aereo, mi sono alzata presto.

3 Ti stanchi di meno perché sei piu giovane di me.

   Siccome sei più giovane di me, ti stanchi di meno.

4 Voglio prendere le ferie nel mese di luglio perché mi sposo quest'estate.

   Siccome mi sposo quest'estate, voglio prendere le ferie nel mese di luglio.

Attività 1.11

1 trasferirsi: **ti sei trasferito**

2 laurearsi: **ti sei laureato**

3 dedicarsi: **mi sono dedicato**

4 sposarsi: **mi sono sposato, si è sposata**

5 decidersi: **ti sei deciso**

Attività 1.12

Here are two model answers.

Cara Giorgia,

non ci vediamo da molto tempo! Ma mi ricordo sempre di te. Ti scrivo alcune notizie della mia famiglia. Ecco una foto della mia famiglia fatta quando mio figlio si è sposato, siamo tante persone, e forse non mi riconosci più! Al centro della foto c'è mio figlio Malcolm con sua moglie Rebecca. Si sono conosciuti cinque anni fa all'Università di Londra. A sinistra ci sono io con Nick mio marito – ti ricordi di lui? A destra ci sono i genitori di Rebecca, si chiamano Helen e David. Accanto a Nick vedi nostro figlio Alex che si è fidanzato due mesi fa e si sposa l'anno prossimo. Poi c'è mia sorella Margherita che si è separata dal partner due mesi fa, con sua figlia Teresa che si è laureata l'anno scorso e suo figlio David. Dietro a Nick ci sono i miei cognati e le loro famiglie: Neil con la moglie Lynne, e Andrew con la moglie Philippa e le loro figlie Rosie e Jen. Siamo diventati vecchi, vero?! Aspetto notizie di te e della tua famiglia. Scrivimi presto!

Con affetto,

Anna

Cara Giorgia,

è tanto che non ci vediamo ma ti ricordo sempre con molto affetto. Cerco di aggiornarti per quanto riguarda la mia vita familiare! Perché non fai così anche tu? Ti mando una foto della mia famiglia fatta il giorno del matrimonio di mio figlio, siamo in tanti, e forse non mi riconosci più! Al centro della foto si vede mio figlio Malcolm con la sua fidanzata – ora sua moglie! – Rebecca. Si sono conosciuti cinque anni fa all'Università di Londra. A sinistra ci sono io con Nick mio marito – ti ricordi di lui? A destra ci sono i genitori di Rebecca, Helen e David. Accanto a Nick vedi nostro figlio Alex che si è fidanzato anche lui due mesi fa e si sposa l'anno prossimo. Poi trovi mia sorella Margherita che purtroppo si è separata dal partner poco prima di Natale, con sua figlia Teresa che si è laureata l'anno scorso e suo figlio

David. Dietro a Nick vedi i miei cognati con le loro famiglie: Neil con la moglie Lynne, e Andrew con la moglie Philippa e le loro figlie Rosie e Jen. Gli anni passano in fretta, vero? Ci siamo fatti vecchi! Pazienza.

Aspetto notizie di te e della tua famiglia.

Con affetto,

Anna

Attività 1.13

Here are some possible answers.

1 L'abito da sposa di solito è lungo e bianco, ma vanno bene anche abiti corti e tinte pastello.

2 Il corredo è una collezione di capi che servono per la nuova casa ad esempio lenzuola, coperte, tovaglie.

3 Per tradizione, la mamma e la nonna preparavano il corredo, ora in genere la sposa sceglie i capi.

4 La bomboniera è un regalino che si dà a tutti gli invitati come ricordo del giorno del matrimonio, con un sacchettino contenente i confetti o mandorle zuccherate.

Attività 1.14

A

1 Molti sposi preferiscono preparare una lista di nozze per evitare di ricevere regali doppi o poco graditi.

2 In Inghilterra non c'è questa usanza ma in Scozia si usa ancora mettere in mostra i regali di matrimonio a casa dei genitori della sposa qualche giorno prima del matrimonio.

B

1 Si è ormai diffusa l'abitudine.

2 lista di nozze

3 gli sposi

4 regali sgraditi

5 esporre

6 il donatore

Attività 1.15

A

1 matrimoni religiosi; matrimoni civili

2 separazioni legali; divorzi

3 i coniugi; la moglie; il marito; le coppie

4 sposarsi; unirsi in matrimonio; celebrare il matrimonio

B

Paragraph 1: 'Il numero dei matrimoni è quindi in declino'.

Paragraph 2: 'l'aumento delle separazioni legali e dei divorzi'

Paragraph 3: 'Cambia anche il rito scelto per il matrimonio'

Paragraph 4: 'l'incremento dei matrimoni misti e dei secondi matrimoni'

C

There is no model answer for this question as it relies on your own thoughts and reflections.

Attività 1.16

2 and 3.

Attività 1.17

Here is a possible answer.

La mia famiglia in cui sono cresciuto nello Yorkshire è abbastanza tradizionale. Ho un fratello e una sorella; mia madre faceva la casalinga e mio padre andava a lavorare. I miei genitori si sono sposati in chiesa, come anche i loro genitori. Ma oggigiorno la famiglia è cambiata. Mio fratello si è sposato dieci anni fa con Lucia, una svizzera di lingua italiana. Diversamente dai miei genitori loro si sono sposati in comune con il rito civile e non hanno figli. Mia sorella è single. E per quanto riguarda me, io convivo a Londra con Mike. L'estate scorsa abbiamo legalizzato la nostra unione di fatto. Questo non è ancora possibile in Italia.

Unità 2

Attività 2.1

A

1 Laura
2 Roberta
3 Alessandro
4 Anna
5 Sandro

B

Here are some possible answers.

1 Quando ero piccolo avevo un amico. Era gentilissimo.

2 Quando andavo a scuola il mio insegnante di matematica era simpaticissimo.

3 Il mio vicino di casa era una persona maleducatissima.

4 Mio fratello aveva un pesciolino rosso. Era un pesce intelligentissimo.

5 Quando ero piccolo avevo un cane. Era affettuosissimo.

Attività 2.2

1 proprie
2 suoi
3 propria
4 suoi
5 propria

Attività 2.3

A

(a) Criceto; (b) delfino; (c) leone; (d) farfalla; (e) uccello; (f) tartaruga; (g) serpente; (h) ghepardo; (i) cavallo; (j) coniglio; (k) cane; (l) gatto; (m) tigre.

B

1 L'indagine dell'Eurispes rivela che quasi tutti i bambini vorrebbero avere un animale.

2 14,2%. (Il quattordici virgola due per cento dei bambini vorrebbe avere un gatto.)

3 20%. (Un bambino su cinque.)

4 I cani.

5 I bambini preferiscono i cani e le bambine i gatti. I maschi si identificano di più con animali 'forti' come il leone o il ghepardo, mentre alle bambine piacerebbe essere un animale elegante come la farfalla.

C

Here is a possible answer.

> Anche nel mio paese, l'Inghilterra, i bambini amano molto i cani e i gatti ma le femmine amano molto i cavalli. Anche qui molti bambini hanno un animale in casa o hanno avuto un animale in passato, ma penso meno dell'81%. Chi abita in un appartamento non può avere animali in casa.

D

1   (a)
2   (a)
3   (b)
4   (c)
5   Here are some sample sentences, taken from the text of the exercise.

    (a) L'81,7% degli italiani ha o ha avuto un animale in casa.

    (b) Due terzi delle famiglie portano gli animali in vacanza con sé.

    (c) Un bambino su cinque non ha mai avuto un animale.

Attività 2.4

Here is a possible answer.

> A me piace avere animali in casa perché tengono compagnia. Prima avevo un gatto ma è morto alcuni mesi fa. A mio marito invece non piace avere animali in casa, perché dice che sono sporchi e hanno un cattivo odore. È difficile andare in vacanza, perché bisogna chiedere al vicino di casa o ad un'amica di badare al cane o al gatto oppure portarlo in una pensione per gli animali.

Attività 2.5

A

3

B

1   asilo
2   scuola elementare
3   aula
4   grembiule
5   cortile
6   compagni di classe
7   maestra

C

The answer obviously depends on your thoughts but here are two possible answers.

> (Pro)
>
> I bambini italiani portavano un grembiule per non sporcarsi i vestiti. Ancora oggi portano il grembiule. Secondo me è una buona idea perché protegge i vestiti. Inoltre i bambini non confrontano le marche dei loro vestiti e quelli più poveri non si sentono esclusi. Per me, il grembiule è una buona idea.
>
> (Contro)
>
> Nel mio paese gli alunni non portano una divisa per andare a scuola. Quando io ero a scuola, gli alunni portavano una divisa che era uguale per tutti i bambini della stessa scuola. Ora ogni bambino può vestirsi come vuole. È molto bello entrare in una classe e vedere i bambini con i loro vestiti di colori diversi. Secondo me, l'uso delle divise scolastiche non è una buona idea.

Attività 2.6

A

Verbo nel testo	Infinitivo
volevo	volere
piangevo	piangere
avevo	avere
assomigliava	assomigliare
stavo	stare
urlavo	urlare
guardavo	guardare
gridavo	gridare
filtrava	filtrare
salutava	salutare
era	essere
c'era	esserci
stavamo	stare
parlava	parlare
bevevamo	bere
facevamo	fare
venivano	venire
andavamo	andare
ero	essere

B

Here is the completed table.

	io	tu	lui, lei, Lei	noi	voi	loro
giocare	giocavo	giocavi	giocava	giocavamo	giocavate	giocavano
studiare	studiavo	studiavi	studiava	studiavamo	studiavate	studiavano
svegliarsi	mi svegliavo	ti svegliavi	si svegliava	ci svegliavamo	vi svegliavate	si svegliavano
vedere	vedevo	vedevi	vedeva	vedevamo	vedevate	vedevano
capire	capivo	capivi	capiva	capivamo	capivate	capivano
partire	partivo	partivi	partiva	partivamo	partivate	partivano
essere	ero	eri	era	eravamo	eravate	erano

Attività 2.7

Here is the completed text with the answers shown in bold.

Da piccola **trascorrevo** molto tempo a casa dei miei nonni. Mi **piaceva** tanto stare da loro, forse perché **abitavano** in una grande casa in campagna. Quasi ogni fine settimana **dormivo** da loro. La domenica mattina mia nonna **si alzava** presto e **andava** in chiesa, poi **tornava** a casa e **cominciava** a preparare il pranzo. Allora io **mi alzavo** e **andavo** in cucina a fare colazione. **Amavo** stare lì e guardare come mia nonna **preparava** la pasta fatta in casa. Ogni tanto **veniva** anche una mia amichetta.

Attività 2.8

1   **Di solito** arrivavo a scuola alle 8.00 ma **un giorno** sono arrivata alle 8.30 e la maestra mi ha fatto una scenata.

2   Da ragazzo arrivavo a casa **sempre** tardi la sera e **qualche volta** mia madre si arrabbiava.

3   **Tutti gli anni** facevamo le vacanze in Italia da mia nonna ma **un anno** siamo rimasti a casa.

4   Quasi **ogni giorno** mio padre comprava *La Gazzetta dello Sport* ma **ogni tanto** comprava *La Repubblica*.

5   **Tutte le sere** il mio fidanzato beveva il vino rosso ma **quella sera** ha bevuto solo acqua.

Attività 2.9

Here is a possible answer.

La mia scuola si chiamava "Scuola elementare Alessandro Manzoni" e si trovava a Bolzano. Avevo un'amica del cuore che era anche la mia compagna di banco. Si chiamava Renata e abitava vicino a casa mia. Per questo andavamo a scuola e poi tornavamo a casa sempre insieme. Renata era molto simpatica, rideva molto e parlava molto e insieme ci divertivamo tantissimo.

A scuola lei era bravissima e qualche volta mi lasciava copiare i suoi compiti. Io invece ero piuttosto pigra.

Attività 2.10

A

1   Andava al Bagno Aurora.

2   Di solito andava al Bagno Aurora ma un anno la sua famiglia è andata al Bagno Conchiglia perché non c'era più posto al 'loro' bagno.

3   Il bagnino ha fatto una scenata perché Simone e i suoi amici tenevano la musica troppo alta e facevano troppo rumore.

4   Il suo amico di scuola si è rotto una gamba e hanno passato tutto un pomeriggio in ospedale.

B

1   la spiaggia

2   il lido *or* il bagno

3   il bagnino

4   la cabina

5   gli ombrelloni

6   la radio portatile

7   i canti natalizi

C

1   quando

2   ogni anno *or* tutti gli anni

3   una volta

4   tutto il giorno

5   quando; tutte le mattine

6   normalmente

7 una volta

8 prima

9 la prima volta

D

Action that took place regularly	Action that didn't take place regularly
andavamo	abbiamo cambiato
sembrava	abbiamo trovato
frequentavamo	abbiamo preso
ci vedevamo	è arrivato (x2)
giocavo	ha portato
restavamo	ha fatto (x2)
eravamo (x2)	è venuto
facevamo (x2)	si è rotto
prendevamo	abbiamo passato
mangiavamo (x2)	
giocavamo	
ballavamo	
avevamo	
tenevamo	
passavamo	
accendevamo	
cantavamo	
sapeva	

Attività 2.11

A

1 Carla andava sempre in vacanza con i genitori. Una volta invece è partita con un gruppo di ragazzi.

2 D'estate di solito prendevano in affitto un appartamento. Una volta però sono andati in campeggio.

3 Il Natale lo passavamo a casa dei nonni. Una volta però sono venuti loro da noi.

4 Mio padre era sempre molto puntuale. Solo una volta è arrivato tardi.

5 Ero molto brava a scuola. Solo una volta ho preso un brutto voto.

B

Here are some model answers.

1 La sera le mie zie giocavano a carte. Una volta **invece hanno guardato un film alla televisione**.

2 Io e mia sorella ci alzavamo sempre alle 8.00 di mattina. Una mattina **però ci siamo svegliate alle 10.00**.

3 Venivi sempre a prendermi a scuola con la macchina. Una volta **invece sei venuta in bici**.

Attività 2.12

A

Cose che si possono prendere a noleggio	Cose che si possono fare al bagno o al lido
la sedia a sdraio l'ombrellone il lettino la cabina	I bambini possono giocare al campo giochi e gli adulti possono fare l'aquagym. Tutti possono mangiare e bere alla pizzeria, al ristorante o al bar, giocare a carte e possono utilizzare la rete wireless o l'internet point. Per i bambini c'è il miniclub. Ovviamente ci si può mettere o togliere il costume da bagno nella cabina, ci si può fare una doccia calda o una doccia fredda. C'è anche il WC.

B

Here is the completed table.

NOUN	VERB
abbonamento	abbonarsi
rinfresco	rinfrescarsi
attrezzature	attrezzarsi
crescita	**crescere**
gestione	**gestire**

C

Here are two possible answers.

Io ho due bambini piccoli e preferisco la spiaggia attrezzata, perché così i bambini non si annoiano. Quando andiamo al mare scegliamo sempre delle spiagge attrezzate per i bambini. È importante trovare un lido con i giochi così i bambini si divertono e fanno amicizia con altri bambini. Inoltre se c'è anche un miniclub riesco a prendermi anche un po' di tempo per me e magari anche a fare qualche attività come l'aquagym o prendere un drink al bar della spiaggia in tranquillità con mio marito.

Io non amo le spiagge affollate. Per questo cerco delle piccole spiagge poco conosciute e poco attrezzate. Mi piace la natura e preferisco i luoghi non troppo frequentati da turisti. Di solito vado al mare in settembre quando non ci sono molti turisti.

Quando vado al mare voglio fare una vacanza rilassante e non fare nessuna attività. Mi voglio riposare e godere il mare in tutta la sua bellezza incontaminata. Mi piace molto nuotare e trascorro molte ore in acqua, soprattutto se non è troppo fredda.

Attività 2.13

A

1   Falso. Inventava le malattie per attirare l'attenzione.

2   Falso. Suo padre faceva delle tremende sfuriate.

3   Vero.

4   Falso. È andata via da Palermo quando aveva tre anni.

5   Vero.

6   Falso. Ci andava, ma a denti stretti.

7   Vero.

8   Vero.

B

1   Le piaceva l'italiano ma non le piaceva l'aritmetica.

2   Non le piaceva nessuno sport.

3   Nel tempo libero stava a casa e leggeva. Qualche volta andava a delle festicciole da ballo in casa di amici.

4   Da giovane scriveva poesie.

5   Da grande voleva fare la scrittrice o il medico.

C

1   con piacere

2   mi tormentava

3   un padre severo

4   tremende

5   allegra

6   vivace

7   non molto loquace

8   chiusa

9   esclusa

10 a denti stretti

Attività 2.14

Here is a possible answer.

La mia infanzia non è stata né troppo felice né troppo triste. Sono figlia unica e non avevo molti amici. Però mio cugino non abitava molto distante e passavamo molti pomeriggi insieme.

Sì mi piaceva andare a scuola perché volevo stare insieme ad altri bambini e perché la mia maestra era molto gentile. Però quando veniva il maestro della 3C a farci lezione, io ne avevo paura, perché urlava sempre.

Mi piaceva studiare la storia e la matematica ma non l'italiano.

Quando non studiavo giocavo con mio cugino e ci inventavamo giochi nuovi.

Da grande volevo fare il medico e viaggiare molto.

Attività 2.15

A

1–(b); 2–(b); 3–(a).

B

1   Non ti preoccupare, ci pensa mio marito. (*This means 'my husband will sort it out / arrange it / see to it'.*)

2   Non ti preoccupare, ci penso io.

3   Certo, ci siamo noi.

4   No. Io ci sono andato/a ieri sera. Non voglio più tornarci.

5   No, mi dispiace, non ci riesco.

Attività 2.16

Here is a possible answer.

Quando avevo sette anni, mio padre mi ha portato ad un concerto di parrocchia. C'era una flautista bravissima ed io ho deciso in quel momento che volevo imparare a suonare il flauto traverso. Ho ricevuto un flauto per Natale. Mi sembrava un flauto bellissimo, brillava tutto. La mia maestra di musica non era proprio simpaticissima e mi sgridava quando non facevo molto esercizio. Lo capiva sempre. Ma alla fine io volevo riuscire ad entrare al conservatorio e con parecchio esercizio ci sono riuscita. Ora sono una maestra di musica e indovinate cosa insegno? Faccio anche molti concerti e se ci sono bambini mi piace raccontargli come ho iniziato. Per me la musica non è solo il mio lavoro ma anche la mia passione.

Unità 3

Attività 3.1

A

The intruder is (f).

1–(c); 2 (e); 3–(b); 4–(d); 5–(g); 6–(a)

B

Here is a possible answer.

Le tre persone sono vestite da carnevale. La prima ha un costume rosso e giallo, con una maschera bianca e rossa con una lacrima rossa in viso. La seconda persona porta un costume marrone e arancione e una maschera bianca con una lacrima nera. La terza persona ha una maschera da uomo, bianca e sorridente, il costume è nero e rosso.

C

The saying literally means: 'Beauty is not something definite, what is beautiful is whatever you like.' The English equivalent would be: 'Beauty is the eye of the beholder.'

Attività 3.2

A

Here are some possible answers.

1   La signora Bassi è la portinaia di Sara.

2   È bassa e grassa, ha i capelli grigi, gli occhi piccolissimi, ma attenti. Ha circa settant'anni. Parla troppo ed è molto curiosa. È una pettegola e parla sempre degli altri.

3   Alì, Federica e Leo sono amici di Sara. Alì è un ricercatore marocchino, ha conosciuto Federica, un'amica d'infanzia di Sara, mentre faceva il dottorato in Italia. Vivono insieme da nove anni. Leo è il loro figlio, ha sei anni e fa la prima elementare.

4   Sono simpatici, allegri, disponibili e generosi.

5   Simone è un altro amico d'infanzia di Sara e Riccardo è il suo nuovo fidanzato.

6   Intelligente e socievole.

7   Clara è estroversa, dinamica, interessante e colta. Ed è anche bella.

8   Oggi Sara ha fatto la spesa e cucinato. Domani ha amici a cena.

B

1   **una pettegola**: una persona che è curiosa e parla della vita degli altri.

2   **carissimi amici**: dei buoni amici, amici intimi.

3   **sono disponibili**: sono pronti ad aiutare se c'è bisogno.

4   **socievole**: estroverso, ama stare in compagnia.

5   **dinamica**: attiva.

C

estroversa / aperta; noioso; simpatica; brutta; magro

D

Here is a possible answer.

La signorina Valli è una chiacchierona. È alta e magra. Ha i capelli biondi e lisci, gli occhi azzurri e un naso lunghissimo. Ha circa 50 anni e vive da sola con due gatti. Esce poco, ma passa le giornate alla finestra a guardare la gente che passa, che entra e che esce. Sa tutto di tutti e parla solo degli altri. È molto curiosa, ma è anche una persona buona e disponibile. Se succede qualcosa, corre subito in aiuto. È generosa e ogni anno aiuta ad organizzare la festa di paese.

Attività 3.3

A

1	(b)		4	(c)
2	(c)		5	(b)
3	(a)		6	(c)

B

1	(b)		4	(a)
2	(a)		5	(b)
3	(b)		6	(c)

Attività 3.4

A

1   (a)

2   (b)

3   (a)

B

1   ce la faccio

2   ce l'ha fatta

3   ce la faccio

4   ce la fate

5   ce la fai

6   ce l'abbiamo fatta

Attività 3.5

A

1	(b)	4	(a)
2	(a)	5	(b)
3	(a)		

B

1   è finito

2   hai già cominciato

3   è cambiata

4   hai già finito

5   hai già cambiato

6   sono già finite

7   è già cominciato

8   ho cominciato; ho ancora finito

9   ho finito; ho già cominciato

C

1   ho cominciato

2   è finita

3   hanno cominciato

4   sono cominciati

5   hai finito

6   ha cominciato

7   è finito

8   abbiamo cominciato

9   ho cominciato

10 è cominciato, è cominciato

Attività 3.6

A

	Leo dice:	Irina dice:
sapere	Sai parlare italiano bene? Io so parlare italiano e arabo. Sì e so anche scrivere il mio nome!	Sì, so parlare italiano e romeno. Sai disegnare?
potere	Sì, puoi usarli... No, la gomma non la puoi usare...	Posso usare i tuoi colori? Posso usare la tua gomma?

B

1   sanno suonare; sappiamo cantare; sanno suonare; possiamo formare; può fare

2   sai parlare

3   sapete cucinare; sappiamo fare; potete venire

4   sai guidare; so guidare

5   Sapete giocare; possiamo andare

Attività 3.7

Here is a possible answer.

Cerco una coinquilina pulita, ordinata e non fumatrice per dividere un appartamento a due camere. La persona che sto cercando deve sapere rispettare le regole della casa (spese e pulizie) ed essere socievole. Cerco una coetanea fra i 25 e i 30 anni, serena e studiosa come me. Non voglio una persona troppo estroversa e rumorosa.

Attività 3.8

A

1–(c); 2–(e); 3–(a); 4–(d); 5–(b)

B

1 Vero.

2 Vero.

3 Falso. È nata in Africa, ma è cresciuta in Italia, a Torpignattara.

4 Falso. Va verso mezzogiorno.

5 Vero.

6 Falso. Non le piace il modo di pettinarsi della signora con i capelli puntati in su.

7 Vero.

8 Falso. Ama fare le pulizie in case dove c'è una signora.

9 Falso. Non le piace portare a spasso i bambini in generale.

10 Vero.

C

1 largo,-a

2 proporzionato,-a

3 riccio,-a

4 pulito,-a

5 preciso,-a

6 vivace,-a

Attività 3.9

A

Here are five possible sentences.

1 Elisa è alta come / quanto Piero.

2 Marco è alto come / quanto Francesca.

3 I capelli di Francesca sono lunghi come / quanto quelli di Elisa.

4 La maglietta di Michela è corta come / quanto quella di Elisa.

5 Francesca è elegante come / quanto Marco.

B

1 Riccardo è **tanto** intelligente **quanto** simpatico.

2 Clara è **tanto** bella **quanto** colta.

3 Federica è **tanto** generosa **quanto** amichevole.

4 Leo fa i compiti **tanto** accuratamente **quanto** rapidamente.

Attività 3.10

Here is a possible answer.

Caro diario,

Il mese scorso, ho conosciuto una persona veramente speciale che è diventata la mia migliore amica. Si chiama Irene, ha 37 anni e fa la giornalista. Ci siamo conosciute per caso a una cena di amici. È una bella donna, abbastanza alta, con dei lunghi capelli neri e due splendidi occhi verdi. Irene è estroversa e spiritosa come me. È molto intelligente e colta, viaggia molto per lavoro e ha sempre aneddoti curiosi da raccontare. Le piace uscire con amici, scoprire ristoranti e locali nuovi – le piace la buona cucina ed in questo andiamo molto d'accordo. Irene è anche molto sportiva, sa giocare a tennis e va in palestra tre volte alla settimana. Sa anche sciare e andare a cavallo. È anche una persona molto comprensiva, sa ascoltare i problemi altrui e dare buoni consigli. Sono felice perché con lei usciamo spesso e ci divertiamo moltissimo. Irene è diversa da me in una sola cosa: ama molto i gatti, ne ha tre in casa e questo è un po' un problema perché io sono allergica al pelo dei gatti!

Attività 3.11

A

1 and 4.

B

1   se ne va

2   me ne sono andata

3   se n'è appena andata

4   ce ne siamo andati

5   se ne va

6   Ve ne andate

7   se ne vanno

8   se ne va

C

Here are three possible answers.

1   Questo fine settimana me ne vado al mare a rilassarmi un po'! (*happiness*)

2   Sei insopportabile, me ne vado! (*anger*)

3   Il professore è noiosissimo, ancora cinque minuti e ce ne andiamo! (*boredom*)

Attività 3.12

A

Here are some possible answers.

1   Nell'ambito professionale voglio essere promosso e guadagnare di più.

2   Un po', perché con la crisi, c'è molta instabilità.

3   Avere un desiderio, un'ambizione, non sempre facilmente realizzabile.

4   Sì, il mio sogno nel cassetto è quello di diventare un chitarrista famoso.

B

1   Sì, sognano ancora, ma hanno anche idee più realistiche sul loro futuro professionale.

2   Hanno paura del futuro, di non trovare un lavoro stabile o di non avere una casa.

3   Cristian sogna di diventare calciatore. Il suo progetto meno ambizioso è di lavorare in banca.

4   Ludovica vuole entrare nel mondo dello spettacolo. Vuole fare la velina e poi la presentatrice.

5   È preoccupata perché non c'è lavoro, le case costano e i prezzi aumentano.

6   Nessuno, tutti hanno sogni e ambizioni.

C

Here is the completed table:

ESSERE	sarei	saresti	sarebbe	saremmo	sareste	sarebbero
AVERE	avrei	avresti	avrebbe	avremmo	avreste	avrebbero
SAPERE	saprei	sapresti	saprebbe	sapremmo	sapreste	saprebbero
VOLERE	vorrei	vorresti	vorrebbe	vorremmo	vorreste	vorrebbero
POTERE	potrei	potresti	potrebbe	potremmo	potreste	potrebbero
VENIRE	verrei	verresti	verrebbe	verremmo	verreste	verrebbero

D

1 vorrebbe

2 passeresti

3 piacerebbe

4 potrei

5 dareste

6 potrebbero

7 potremmo

8 verrebbe

9 presteresti

10 porterebbe

A

1–(d) Fare una proposta – 'Potremmo andare al cinema!'

2–(a) Esprimere un desiderio – 'Vorrei una camera con vista sul mare'.

3–(e) Dare un consiglio – 'Io al posto tuo andrei a casa a dormire'.

4–(b) Chiedere cortesemente qualcosa – 'Potrebbe portarmi un po' di pane?'

5–(c) Fare una suposizione – 'Non credo che Luisa verrebbe in vacanza con noi'.

B

		Desiderio	Richiesta cortese	Proposta / suggerimento	Supposizione
1	Potrebbe portarmi il conto per favore?		✓		
2	Per la festa potresti mettere il vestito rosso.			✓	
3	Non credo che funzionerebbe.				✓
4	Vorrei tanto andare in Sud America.	✓			
5	Potremmo andare in campeggio!			✓	
6	Vorrei un caffé e un cornetto per favore.		✓		
7	Sarebbe bellissimo!				✓
8	Vorresti dire che non verrai?				✓

Attività 3.14

Here is a possible answer.

Gentili Signori,

vi scrivo per trovare un tandem partner italiano. Vorrei incontrare un tandem di madrelingua italiana, donna o uomo non ha importanza, di circa 40–50 anni. Mi piacerebbe conoscere una persona simpatica, allegra, piena di interessi, aperta e soprattutto paziente perché il mio italiano è di livello intermedio!

Mi piacerebbe avere interessi in comune con il tandem partner. I miei interessi sono il teatro, la musica e il cinema, sarebbe bello poter scambiare idee e opinioni su opere, film, canzoni e poter fare delle attività insieme.

Cordiali saluti,

Rachel Brown

Unità 4

Attività 4.1

A

1–(c); 2–(e); 3–(b); 4–(d); 5–(f); 6–(a)

B

Here is a possible answer.

Ho scelto la foto numero uno perché mi piace molto la cucina, soprattutto i piatti tradizionali delle trattorie e locande. Non ho tempo di cucinare perché lavoro fino alle 21, per questo vado spesso al ristorante. La seconda foto che ho scelto è la numero quattro perché non mi piace sedermi ai tavolini all'aperto: c'è troppa gente che passa, rumori, odori, non c'è un minimo di tranquillità!

C

Here is the corrected piece of writing, with corrections highlighted in bold and the mistakes and their corrections shown in the table below.

Ho scelto **la** foto numero due perché mi piace molto l'opera, sopra**t**tutto l'opera italian**a**. **Vado** all'opera due o tre volte l'anno, **vorrei** andare più spesso, ma a mia moglie non piace per niente! **La** second**a** foto che ho scelto è **la** foto del Museo civico. Non amo andare a **visitare** musei e most**re**, perché non sono un amante e **un e**sperto d'arte.

Tense	Agreement	Spelling	Other grammatical mistakes
vorrò → vorrei	il foto (3 times) → la foto	sopratutto → soprattutto	un'esperto → un esperto
	opera italiano → italiana	vistitare → visitare	mostri → mostre
	(io) vai → vado		
	secondo foto → seconda		

Attività 4.2

A

1   Paolo vuole andare al ristorante, poi in birreria e poi in discoteca.

2   Sandro vuole andare al ristorante e a una conferenza sul cinema italiano contemporaneo a Cinecittà.

3   Sandro è un appassionato di cinema.

4   Ai vecchi tempi, Sandro e suo cugino andavano in discoteca a ballare.

5   Caterina è una collega di Paolo.

6   Perché suona Caterina e li ha invitati.

B

1   (c)

2   (a)

3   (a)

4   (a)

5   (b)

6   (a)

C

1   **dedicarsi a** un'attività

2   **frequentare** musei e mostre

3   **passare** il tempo

4   **un passatempo, un'attività ricreativa**

5   **un'indagine**

6   in costante **aumento**

D

Here is a possible answer.

> Prima di leggere questo articolo, non immaginavo gli italiani come persone che passano molto tempo davanti alla televisione. Questo mi ha sorpreso. Nel mio paese, uscire a cena è una delle attività ricreative più diffuse, ma il passatempo preferito è il consumo di bevande alcoliche nei pub e nei bar.

Attività 4.3

A

1   Invito: Caterina invita Pablo all'inaugurazione di un nuovo discobar, 'La Febbre del Sabato Sera', sabato sera.

2   Invito: Federico invita degli amici a prendere un aperitivo venerdì dopo il lavoro.

3   Invito: Simone invita Rossella all'inaugurazione della sua mostra il 23 ottobre.

4   Invito: Enrico e Sara invitano il destinatario al loro matrimonio.

B

Here is the completed table.

Invitare	Mi piacerebbe invitarla al cinema questa sera.
	Andiamo a mangiare una pizza sabato?
	Le sarei grato se mi potesse accompagnare al ricevimento.
Accettare	Buona idea!
	Vi ringrazio per l'opportunità, sarà un onore.
	Perché no!
Rifiutare	Mah, direi di no.
	Sono desolato, ma non potrò partecipare all'evento.
	Veramente non mi va.
Fare un'altra proposta	No, dai, andiamo a teatro!
	Perché invece non andiamo al mare?

C

Espressioni	Informale	Formale
Che ne dici di andare con loro?	✓	
Ti va?	✓	
Perché non andiamo a prendere un aperitivo insieme venerdì dopo il lavoro?	✓	
Ci vediamo in piazza Sant'Anna alle 7?	✓	
Le sarei grato se mi potesse accompagnare al ricevimento.		✓
La cerimonia sarà celebrata nella chiesa di San Paolo.		✓
Vi ringrazio per l'opportunità, sarà un onore.		✓
Perché invece non andiamo al mare?	✓	
Sono desolato, ma non potrò partecipare all'evento.		✓

Attività 4.4

Here is a possible answer to invitation number 3.

Carissimo Simone,

Ti ringrazio per l'invito. Mi piacerebbe molto partecipare all'inaugurazione della tua nuova mostra di acquerelli, ma purtroppo il 23 ottobre sono a Londra per un convegno. Parto il 21 ottobre e torno in Italia il 24. Sto collaborando con un gruppo di ricercatori inglesi e in questo periodo viaggio molto spesso per lavoro. Fino a quando è aperta la mostra? Non la voglio perdere di certo. Ti mando i migliori auguri, sicuramente la mostra sarà un successo.

Un affettuoso saluto,

Rossella

Attività 4.5

A

Tipo di evento	Mostra mercato d'arte. Si tratta di un'esposizione di opere d'arte visive (pittura e scultura).
A chi dà spazio	Ad artisti poco conosciuti.
Perché si chiama Momart	Perché vuole ricreare l'atmosfera di Montmartre, la famosa collina di Parigi, ritrovo di artisti; è un gioco di parole tra Montmartre e Art
Quando e dove ha luogo	Ogni prima domenica del mese in piazza Capitaniato a Padova.
A chi può interessare	Agli amanti delle arti visive.

B

Here is a possible answer.

Ciao ragazzi!

Come va? Ho appena trovato un volantino su un evento interessante. Si tratta di una mostra mercato di opere d'arte pittoriche e plastiche di artisti sconosciuti o poco noti. Si chiama Momart, un gioco di parole che richiama Montmartre a Parigi. Si svolge ogni prima domenica del mese per tutta la giornata, in piazza Capitaniato, in centro. Perché non ci andiamo tutti insieme domenica prossima? Che ne dite? Sarebbe fantastico! Potremmo vederci verso le 11 in piazza dei Signori, fare un giro, vedere le opere, parlare con gli artisti e poi andare a pranzo insieme. Magari un giorno potrei esporre anche i miei quadri...

Fatemi sapere.

Saluti a tutti!

Luisa

Attività 4.6

A

'Stare' + gerundio
stai facendo
Stai lavorando
Sto aiutando
ci sta facendo impazzire
Ti sto aspettando
Mi sto stancando

B

(c)

C

Here is a possible answer. The instances of *stare* + *gerundio* are highlighted in bold.

Da Caterina:

Scusa!!! **Sto parlando** al telefono con un cliente che **sta facendo** domande assurde.

Scusa!!

Attività 4.7

A

Here are some possible answers.

1 Anita sta leggendo il giornale.
2 Marta e Luisa stanno bevendo un cappuccino.
3 Luca sta ascoltando musica.
4 Licia si sta facendo la doccia.
5 Mattia sta mangiando un gelato.
6 Aldo e Giacomo stanno giocando a carte.
7 Ernesto sta andando in bicicletta.
8 Anna sta facendo la spesa.

B

Disegno 1	Disegno 2
Il ragazzo sta parlando al telefonino.	Il ragazzo sta bevendo una Coca-Cola.
La signora sta mangiando un gelato.	La signora sta leggendo un libro.
Il bambino sta mangiando un gelato.	Il bambino sta dormendo.
Il signore sta leggendo La Repubblica.	Il signore sta ascoltando la radio.
Il signore sta scrivendo.	Il signore sta parlando al telefonino.
La signora sta fumando una sigaretta.	La signora sta fumando un sigaro.
Il signore sta dormendo.	Il signore sta leggendo la Gazzetta dello Sport.
La ragazza sta mangiando un panino.	La ragazza sta bevendo.
I ragazzi stanno chiacchierando.	I ragazzi stanno ascoltando musica.

Attività 4.8

Xké nn mi risp?D6?Xké nn ci vediamo?Tardi xò, xké devo lavorare.

Attività 4.9

A

1 Falso. Davide ha una cena domani.

2 Falso. Davide chiede in prestito una camicia elegante e una cravatta. Il completo ce l'ha.

3 Vero.

4 Vero.

B

The correct option is: 3.

The instances of *ce* in the text are:

ce le hai?

quello ce l'ho

se ce li hai

La camicia elegante ce l'ho

la cravatta sul rosso non ce l'ho

50 euro non ce li ho

Attività 4.10

1 Ce l'ho.

2 Ce li ho.

3 Ce l'ho.

4 Ce l'ho.

5 Ce le ho.

6 Ce le ha?

Attività 4.11

A

1 le ho appese

2 le ho incorniciate

3 li ho prenotati

4 l'ho pagata

5 l'ho ordinato

6 l'ho pagato

B

1 Ieri ho incontrato Marcello e l'ho invitato a cena da noi sabato sera.

2 Sto cercando i miei biglietti per il Nabucco. Dove li hai messi?

3 Ci serve la guida della mostra. L'hai portata?

4 Sì, è un bellissimo film, pensa che l'ho visto tre volte!

5 Federica? No, non l'ho ancora chiamata, ma lo faccio subito.

Queste sono le mie foto preferite. Le ho comprate in una galleria d'arte.

Attività 4.12

A

The phrases from the text which refer to the bad manners shown in the drawings are:

(b) cerchiamo di non far rumore con la carta (il rumore nel silenzio della sala è veramente fastidioso)

(c) cerchiamo di non tossire o starnutire, se siamo malati è meglio che restiamo a casa

(e) se arriviamo tardi e le nostre poltrone sono già occupate, aspettiamo la pausa prima di discutere con chi le occupa

(d) non rimaniamo per ore davanti al quadro più importante

(a) il telefonino è sicuramente utile, ma forse, nei luoghi pubblici, possiamo spegnerlo per un paio d'ore!

B

1–(d); 2–(b); 3–(c); 4–(e); 5–(a)

Attività 4.13

1 Non **lo** puoi bere tutto!

Non puoi ber**lo** tutto!

2 **Li** dovete portare.

Dovete portar**li**.

3 **Le** posso telefonare?

Posso telefonar**le**?

4 **Lo** devo restituire.

Devo restituir**lo**.

5 Non **la** devi guardare troppo!

Non devi guardar**la** troppo!

6 **La** posso lasciare qui?

Posso lasciar**la** qui?

7 **La** puoi spegnere?
Puoi spegner**la**?

Attività 4.14

A

1 maleducazione → **educazione**

2 fare silenzio → **far rumore**

3 composto → **scomposto**

4 normale → **strano**

5 fuori moda → **di moda**

6 minuscolo → **maiuscolo**

7 corsivo → **stampatello**

B

The instances of 'che' and 'cui' in the text are:

'norme comportamentali **che** riflettono', 'regole **che** possono sembrare ovvie', 'comportamenti **che** la maggior parte delle persone considera', 'a **cui** ci si può rivolgere'

The correct answer is:

3: 'Cui' è preceduto da 'di/a/da/in/con/su/ per/tra o fra'.

C

Here are some possible answers.

1 Sì, nel Regno Unito esiste il galateo, ma sono poche le persone che lo rispettano completamente.

2 Mi sembra ingiusto non poter dire 'buon appetito' prima di mangiare perché è semplicemente una forma di augurio!

3 Sì, soprattutto fra i giovani. È sempre più frequente incontrare giovani che dicono parolacce, gridano per strada, non lasciano il posto a sedere sui mezzi pubblici a signore o a persone anziane.

4 Mi dà fastidio quando le persone lasciano il cellulare acceso al cinema e a teatro. Mi dà anche fastidio la gente che ascolta musica a volume alto sui mezzi pubblici.

D

Here are some possible answers.

1 Il telefonino è un oggetto con cui si può telefonare e mandare messaggi.

2 Il cinema è un posto in cui si possono vedere film nuovi.

3 Arrivare tardi a teatro è un comportamento di cui ci si deve vergognare.

4 La pausa è un momento in cui le persone si rilassano.

5   Fare rumore con la carta al cinema è una cosa che ritengo inaccettabile.

6   Il galateo indica il modo migliore in cui comportarsi.

Attività 4.15

A

1   che

2   con cui

3   che

4   che

5   a cui

6   che

7   di cui

8   a cui

9   in cui / dove

10 in cui / dove

B

Here are some possible answers.

1   La signora che ti ho presentato è la moglie del signor Piero, il famoso fotografo.

2   Caterina è la collega di Paolo che suona il flauto.

3   Paolo e Caterina, di cui ti ho parlato molto spesso, sono i miei migliori amici.

4   Il film che andiamo a vedere, è stato girato a Cinecittà.

5   Il fotografo a cui sto telefonando, è bravissimo.

6   Che ne dici di andare al ristorante in cui / dove abbiamo mangiato la settimana scorsa?

Attività 4.16

Here is a possible answer.

Venerdì sera sono andata al cinema con Riccardo, Sara e Irina a vedere l'ultimo film di Benigni. Non vedevamo l'ora di vedere il film e siamo arrivati presto per prendere i posti migliori, in terza fila. Il film è iniziato puntuale, dopo molta pubblicità. Dopo 20 minuti dall'inizio è arrivato un gruppo di quattro persone che si sono sedute davanti a noi, in seconda fila, passando davanti a tutti e coprendo lo schermo senza scusarsi! Potevano sedersi in ultima fila, senza disturbare... che maleducati! Dopo dieci minuti hanno iniziato a mangiare patatine e pop-corn, facendo un rumore terribile, ma non è tutto, a metà del film è suonato anche il cellulare di uno di loro e...lui ha risposto!! Ha detto: 'mamma richiamami dopo, sono al cinema!!!' Che maleducato!

Finito il film, siamo andati a prendere l'autobus per tornare a casa e abbiamo assistito ad un altro episodio di maleducazione. Tre ragazzini ascoltavano musica a volume altissimo e gridavano, rendendo il viaggio insopportabile. Irina ha detto loro di abbassare il volume perché stavano disturbando i passeggeri, ma l'hanno alzato ancora di più.

Unità 5

A

There is no model answer for this activity.

B

The incorrect information is underlined, with a correct version below, in bold.

> Gli italiani, in generale, trascorrono le vacanze <u>da soli o con amici</u>.
> Gli italiani fanno le vacanze **in famiglia**. I giovani italiani fanno le vacanze con amici.

> Durante il periodo di Natale molti italiani vanno <u>ai Caraibi</u> dove possono prendere il sole e fare i bagni.
> Molti italiani vanno **in montagna** dove possono sciare.

> Nel mese di agosto, partono <u>13</u> milioni d'italiani. Vanno alle località balneari <u>al nord</u> dell'Italia. Il maggiore esodo si verifica da <u>Napoli</u> e <u>Taranto</u>.
> Nel mese di agosto partono **14** milioni d'italiani. Vanno alle località balneari **al sud e alle isole**. Il maggiore esodo si verifica da **Roma, Milano, Torino, Genova e Bologna**.

> In genere gli italiani preferiscono la sistemazione <u>in albergo</u> o <u>agriturismo</u>.
> Gli italiani preferiscono stare **nella seconda casa**, o **a casa di amici** o parenti, o **affittare una casa**.

> Prendere una casa o un appartamento in affitto <u>è una sistemazione molto economica</u>. Andare in agriturismo <u>non è la sistemazione ideale</u> per chi non vuole cucinare.
> Prendere una casa o un appartamento in affitto **non è molto economico**. Andare in agriturismo **è la sistemazione ideale** per chi non vuole cucinare.

> Gli italiani che vanno in campeggio <u>non possono</u> portare la propria roulotte, <u>devono affittare</u> la roulotte o il camper.
> Gli italiani che vanno in campeggio **possono** portare la propria roulotte, **non sono obbligati ad affittare** la roulotte o il camper.

> Rimini e Riccione sono <u>posti tranquilli</u> che vanno bene per <u>le famiglie con bambini piccoli</u>.
> **Non sono posti tranquilli** e vanno meglio **per i giovani che cercano la vita notturna, non per le famiglie**.

C

1 la meta
2 le ferie
3 (le) località balneari
4 quotidiana
5 (lo) scambio di casa
6 (la) pensione completa
7 (il) camper
8 (la) vita notturna

D

1–(e); 2–(a); 3–(c); 4–(d); 5–(b)

A

1 9,4%
2 45,5%
3 21,4%
4 60,7%
5 83,9%
6 40,4%

B

1–(c); 2–(a); 3–(b); 4–(d); 5–(g); 6–(e); 7–(f)

Attività 5.3

This is a model answer. Your own answer may vary.

> Io invece ti consiglierei Oxford. È una città affascinante, si può girare facilmente in due o tre giorni, anche senza macchina. Trovi dei voli economici per Londra e dopo trovi un pullman per Oxford. In città si può girare a piedi e si possono vedere i College dell'università, il famoso teatro Sheldoniano e il mercato coperto. Se non basta la città, puoi anche prendere la macchina e andare in campagna. Ci sono molte pensioni familiari.   (75 words)

Attività 5.4

A

The answers are your personal choice.

B

Here is a possible answer.

> Non mi piacciono le vacanze organizzate. Preferisco andare in vacanza da sola o con la mia amica.
>
> Di solito viaggio in aereo e prendo la macchina a noleggio all'arrivo.
>
> Preferisco stare in un appartamento. Mi piace cucinare e comprare i prodotti locali al mercato.
>
> Compro molte guide ma leggo solo l'essenziale prima di arrivare. Mi piace la musica e se posso, vado ai concerti.
>
> Mi piace conoscere altre culture e altre tradizioni, visitare luoghi di interesse artistico-culturale ma anche riposarmi.
>
> (82 words)

Attività 5.5

Here is a possible answer.

> Il catalogo descrive un villaggio che si affaccia direttamente sull'acqua. Invece nella recensione c'è scritto che il villaggio non si affaccia sul mare. Sul catalogo c'è anche scritto che il ristorante abbina la tradizione italiana con il meglio della cucina internazionale, ma i clienti scrivono che hanno mangiato gli stessi piatti per una settimana. Sul catalogo si dice che gli ospiti possono praticare diversi sport, ma i clienti si lamentano che le strutture sportive non sono nel villaggio e che le strutture sono scarse rispetto al numero di ospiti. Sul catalogo si parla di animazione, i clienti dicono invece che l'animazione era svogliata.   (105 words)

Note the words for linking or contrasting: *invece*, *anche*, *ma*; and you might have used *nonostante* or *inoltre*.

Attività 5.6

Here is the completed account.

> Caro Giacomo
>
> Come stai? Sei tornato dalle ferie? Io sì! Quest'anno per la prima volta in vita mia – c'è sempre la prima volta, anche a 30 anni! – **ho deciso** di andare in vacanza in un villaggio turistico e beh, sai ... devo dire che **mi sono trovato** proprio bene. Sono andato con un gruppo di amici – un misto di 'single' e coppie. Per sette giorni, **abbiamo fatto** sport, **abbiamo conosciuto** tanta gente simpatica e **sono riuscito** anche a riposarmi un po': che vuoi di più?!
>
> Il villaggio **era** vicinissimo al mare, i bungalow **erano** molto puliti e la cucina **era** non solo molto buona, ma anche varia. Non come a casa mia dove mangio sempre

i piatti pronti del supermercato! **C'erano** addirittura dei piatti per le persone vegetariane.

Come sai, a me piace stare da solo, non sono un grande frequentatore della vita mondana. Una cosa che mi **è piaciuta** molto è che non **eravamo costretti** a partecipare alle varie attività. Chi **voleva**, **poteva** andare in spiaggia e restarci anche tutto il giorno. Io **ho partecipato** a molte attività e mi sono anche divertito; in dieci giorni **ho imparato** a fare surf e a ballare la salsa, cose che non avrei mai pensato di fare in vita mia!!!

Attività 5.7

A

The forms of *buono* in the text are:

buon agriturismo

buona cucina

buoni vini

buone specialità

B

1 Ciao Paolo, **buon** anno!

2 Mm, le tagliatelle fatte in casa, **buon** appetito, ragazzi!

3 **Buon** Natale a tutti, ci vediamo dopo le feste!

4 **Buona** Pasqua, mi raccomando non mangiate tutte le uova di cioccolato, bimbi!

5 **Buon** fine settimana, ci vediamo lunedì.

C

1 un **buono** specchio

2 una **buon'**occasione / una **buona** occasione

3 una **buona** strada

4 dei **buoni** cannelloni

5 delle **buone** tagliatelle

Attività 5.8

B

Here is a possible answer based on the notes made on the Agriturismo Sorgituro.

Ciao Matteo, come va? Siamo appena tornati da casa di Cristina. Nella guida di Cristina, ho trovato un agriturismo che secondo me sarebbe perfetto per te. Si chiama Agriturismo Sorgituro, si trova a Postiglione, nel Parco Nazionale del Cilento. È un piccolo agriturismo familiare, con sei camere da letto, tutte matrimoniali con bagno privato. La cucina, preparata dalla signora Letizia, è veramente buona, è tutta basata su prodotti locali, come il miele e la mozzarella di bufala. Si mangia in terrazza oppure nella sala da pranzo interna. Per chi viene in camper, l'agriturismo ha anche un posteggio per i camper. Si paga poco, con la mezza pensione sono 60 euro a persona al giorno. Puoi fare anche delle gite in bici! Se vuoi sapere di più, chiamami!

Attività 5.9

A

1 Lucia, Gloria

2 Francesca

3 Manuela, Lucia, Gloria

4 Francesca, Beatrice

B

1 Di solito festeggiano Ferragosto in compagnia di /a casa di amici.

2 Cristina non ha dovuto cucinare a Ferragosto perché hanno mangiato ad un agriturismo.

3 Gloria non è rimasta fuori fino a tardi perché volevano evitare il traffico del rientro.

4 Francesca ha cucinato la carne alla griglia.

5 Beatrice non ha cucinato a Ferragosto perché è andata ad una sagra dove si mangiava anche.

C

The exclamations with *che* in the text are:

Che disastro (*What a disaster!*); Che buono (*How delicious!*); Che fredda l'acqua (*The water was so cold!*); Che caldo che faceva (*It was so hot!*); Che peccato (*What a pity!*); Che bello (*How lovely!*); Che fortuna (*What luck! / How lucky!*)

D

1–(d); 2–(b); 3–(f); 4–(e); 5–(c); 6–(a)

E

Here are some likely possibilities.

1   Che fortuna!

2   Che sete!

3   Che buono!

4   Che sfortuna!

5   Che freddo!

6   Che peccato!

7   Che disastro!

Attività 5.10

A

Sympathy	Amazement and disbelief	Relief	Envy
Mi dispiace. Poveri loro!	Davvero? Sul serio? Roba da matti!	Meno male!	Beato lui!

B

1   Mi dispiace.

2   Che guaio, mi dispiace!

3   Roba da matti!

4   Ma davvero?

5   Davvero?

6   Beata lei!

Attività 5.11

A

The examples in the text are:

buono, meglio, migliore, buona, ben*, buon, meglio, migliori.

* Note that bene *often shortens to* ben *before a past participle beginning with a consonant, in this case* 'ben custodito'.

B

1   Il tè inglese è **migliore** di quello italiano.

2   (Il) mio fratello **maggiore** si chiama Giorgio.

3   (La) mia sorella **minore** si chiama Camilla.

4   Filippo è il bambino **peggiore** della classe.

C

Here are three possible sentences.

La vacanza in Sardegna è stata **la vacanza più costosa** della mia vita.

Il vantaggio maggiore della macchina è stata la flessibilità.

L'agenzia più piccola ci ha fatto un prezzo speciale.

Attività 5.12

B

1   La zona Parioli è una delle zone **migliori** di Roma.

2   Il caffè **migliore** del mondo è il caffè italiano.

3   Mi sai indicare un **buon** parcheggio in centro città?

4   La mia casa è in una **buona** posizione.

5   Se non trovi di **meglio**, vieni in vacanza con me.

6   Io guido male, ma mio marito guida molto **peggio** di me.

7   Ho un brutto raffreddore, ma oggi sto un po' **meglio**.

8   Le cose vanno di male in **peggio**.

Attività 5.13

A

1   (b), (c), (d)

2   (a)

3   (a) and (b).

4   (a) and (b).

B

1   Vorrei passare un weekend a Londra senza spendere **una fortuna**.

2   Se volete passare Capodanno a Parigi, **basta** guardare in Internet.

3   I voli low-cost hanno cambiato **le abitudini** degli italiani.

4   Il treno ci mette 12 ore e poi bisogna pagare anche **la cuccetta**.

5   Prima il pullman ci metteva un'ora. Ora ci sono dei **mezzi** più rapidi.

C

1   Non dimenticare, per andare in Cina **ci vuole** il visto.

2   Senti, quante uova **ci vogliono** per fare il tiramisù?

3   Coraggio! Per imparare una lingua straniera **ci vuole** soprattutto pazienza!

4   Che peccato! Luisa non **vuole** prendere il traghetto.

5   Da Roma a Milano? Mah, secondo me, **ci vogliono** circa cinque ore.

6   I miei genitori non **vogliono** mai viaggiare in aereo.

7   Quanto tempo **ci vuole** per arrivare a Perugia?

8   Vincenzo, secondo te, quanti grammi di zucchero **ci vogliono** per fare il dolce di mele? 250 or 500?

D

1   Di solito si prende la macchina perché in treno **ci si mette** troppo tempo.

2   Gemma, quanto **ci metti** a fare i compiti? Ti aspetto da un'ora!

3   Quand'ero piccola, andavo a scuola a piedi e **ci mettevo** mezz'ora.

4   Quando non c'era il Tunnel sotto la Manica, prendevamo il traghetto e **ci mettevamo** molto più tempo.

5   Ieri siamo tornati dal mare, il traffico era caotico e **ci abbiamo messo** due ore.

Attività 5.14

A

1   Falso. Guido e il suo amico prendono la nave.

2   Falso. Guido e il suo amico hanno pochi bagagli / poche cose.

3   Falso. Non dormono in albergo. Portano i sacchi a pelo.

4   Falso. Non hanno un programma definito.

5   Vero.

6   Falso. Ad Atene c'è il sole.

7   Vero.

B

The forms of the perfect tense in the text are:

siamo andati, abbiamo fatto, abbiamo messo, ha detto, siamo arrivati, siamo riusciti, abbiamo portato, siamo andati, sono rimasto, si è fatto largo, è tornato, mi ha detto

The forms of the imperfect tense in the text are:

> volevamo, avevo, serviva, era, facevo,
> riempiva, eravamo, conoscevamo, c'era,
> c'erano, avevamo, assediava, vedevo,
> brillavano

The **perfect tense** is used to express completed actions or events.

The **imperfect tense** is used to express feelings or intentions in the past and to describe people, things, situations in the past.

C

'Caffettiera' è l'unica parola non collegata con il campeggio.

D

1   branchi
2   il sole a picco
3   custodie di chitarra
4   si è fatto largo
5   le carte geografiche
6   assediava

Attività 5.15

Here is the text with the verbs in appropriate past tenses.

> **Abbiamo cominciato** la nostra avventura all'aeroporto di Palermo! Alle 10.00 di mattina **siamo arrivati** all'aeroporto, **abbiamo aspettato** per quasi un'ora i nostri bagagli, un disastro: bambini che **piangevano**, turisti che **perdevano** la pazienza... **Siamo usciti** e **abbiamo preso** un taxi. La città **era** caotica, **c'era** tantissimo traffico e **faceva** un caldo da morire. Un incubo! In centro **ci siamo fermati** davanti a un albergo, indecisi se entrare: **sembrava** proprio squallido! **Abbiamo deciso** allora di noleggiare una macchina e di cercare un posto più tranquillo.

> **Abbiamo preso** la strada per Trapani. Il paesaggio **cambiava**, dalla macchina **si vedeva** il mare azzurro a destra, a sinistra le colline verdi, i contadini che **lavoravano** nei campi... un paesaggio da favola. **Ci siamo fermati** a Castellamare del Golfo, dove **abbiamo trovato** un ristorante molto carino e **abbiamo fatto** un pranzo tutto a base di pesce. **Abbiamo pagato** poco e **mangiato** bene!

> Dopo pranzo **abbiamo guidato** per altri 40 minuti e **siamo arrivati** a Scopello, un piccolo paese in collina. La strada **diventava** sempre più stretta e **siamo arrivati** in una zona pedonale dove non **si passava** con la macchina. **Abbiamo lasciato** la macchina al parcheggio e **siamo andati** a vedere il paese. **Era** molto caratteristico, gli abitanti che **passeggiavano** in piazza, i negozietti che **vendevano** frutta fresca e alcuni bar con i tavolini fuori. Nel paese **c'erano** solo due pensioni. **Siamo andati** a vederne una. **Era** molto carina, semplice ma pulita. Le stanze **si affacciavano** su un piccolo cortile fiorito. Che posto da sogno! **Abbiamo deciso** di restare lì per qualche giorno anche perché **eravamo** stanchi di viaggiare.

Attività 5.16

A

The past tenses of *dovere*, *potere* and *volere* in the text are:

> volevo, ho potuto, ho dovuto, hanno dovuto, volevano, ha potuto, ho potuto

B

1   Era da tanto che **volevo** assistere a questo Festival.
2   E finalmente **ho potuto** realizzare questo mio sogno.

3   **Ho dovuto** fare centinaia di telefonate per trovare un posto in albergo!

4   I turisti che non avevano prenotato in anticipo **hanno dovuto** fare la coda all'ufficio turistico.

5   Di quelli che **volevano** venire a Barga, solo una piccola percentuale **ha potuto** essere selezionata.

6   Sabato 25 luglio **ho potuto** assistere alla rappresentazione del *Matrimonio segreto*.

C

1   assistere al festival

2   centinaia di telefonate

3   prenotato in anticipo

4   fare la coda

5   una sistemazione

6   coniugi

7   selezionata

8   dramma giocoso

9   il recital

Attività 5.17

A

Here is a possible answer.

1   *I posti che ho visitato*

Ho visitato il paese di Erice, bellissimo!

Sono andato/a all'isola di Favignana.

2   *Le cose che ho visto*

Ho visto il centro storico di Palermo.

3   *I romanzi che ho letto*

Ho letto due romanzi di Camilleri.

4   *I soldi che ho speso*

Ho speso troppo! Abbiamo mangiato fuori quasi ogni sera e ho comprato qualche ricordo per gli amici.

5   *I piccoli problemi o inconvenienti*

L'aereo è partito in ritardo.

Il viaggio era molto lungo.

Non abbiamo mangiato molto bene.

Era molto costoso.

L'albergo era squallido.

6   *I piatti regionali*

In Sicilia si mangiano molte melanzane. Ho mangiato la pasta con le melanzane e la pasta con i sardi.

7   *Le cose che ho scoperto*

Ho scoperto che in Sicilia si parla una lingua diversa, il siciliano!

B

Here are two model answers.

BLOG 1

Siamo tornati domenica sera dalla Garfagnana dove abbiamo passato tre settimane bellissime, non potevamo chiedere di meglio, ci siamo proprio rilassati e per 21 giorni non abbiamo neanche pensato al lavoro e ai problemi di casa! Ho fatto bene a non portare il computer!

La casa fa parte di un gruppo di case che si chiama Le Capanne, vicino a Calomini, sono delle vecchie strutture agricole trasformate in quattro case per le vacanze. La nostra era certamente la più bella. C'era il silenzio totale, la casa si affacciava sulla valle, e dalla terrazza vedevamo solo il verde. Eravamo a 600 metri sul livello mare. Una volta di notte abbiamo visto dei cinghiali! Siamo usciti solo per andare al mercato a Castelnuovo di Garfagnana o a Barga, o per fare un giro. Abbiamo visitato il museo scozzese di Barga, dove c'erano le foto dei nostri nonni e bisnonni, delle famiglie italiane emigrate in Scozia tanti anni fa. Siamo andati anche a Lucca dove abbiamo girato in bici. La sera di solito cucinavamo e mangiavamo in terrazza, ma abbiamo anche mangiato in ristorante un paio di volte. Se avete voglia di fare una vacanza tranquilla in mezzo al verde, vi consiglio di andare alle Capanne. È un'esperienza indimenticabile.

P.S. Ecco una foto fatta dalla nostra terrazza!

BLOG 2

Noi siamo tornati domenica sera dalla Garfagnana dove abbiamo passato tre settimane bellissime, è stata una vacanza bellissima... ci siamo proprio rilassati – 21 giorni senza pensare al lavoro e ai problemi di casa! Non ho portato il computer! La casa fa parte di un gruppo di case che si chiama Le Capanne, vicino a Calomini, sono delle vecchie case rinnovate come case per le vacanze. La nostra era la più bella. C'era il silenzio totale, la casa aveva un bel panorama sulla valle, e dalla terrazza vedevamo solo il verde. Eravamo a 600 metri di altezza. Una volta abbiamo visto dei cinghiali! Siamo usciti solo per andare al mercato a Castelnuovo di Garfagnana o a Barga, o per fare un giro

in macchina. Siamo stati al museo scozzese di Barga, dove c'erano le foto delle famiglie italiane emigrate in Scozia tanti anni fa. Siamo andati anche a Lucca dove abbiamo girato in bici. La sera cucinavamo e mangiavamo in terrazza, ma abbiamo anche mangiato in ristorante un paio di volte. Se avete voglia di fare una vacanza tranquilla in montagna, vi consiglio le Capanne. È perfetto!

P.S. Ecco una foto fatta dalla nostra casa!

Le Capanne, Calomini (Lucca), Tuscany.

Unità 6

Attività 6.1

A

This is a sample answer, but your answer may vary.

	PASTO				
	colazione	pranzo	cena	sabato (cena)	domenica (pranzo)
A che ora?	7.00	13.00	20.00	21.00	13.00
Cosa si mangia?	Caffè, pane e marmellata; cappuccino e cornetto.	Pasta, carne o pesce, contorno.	Carne o pesce, verdura, frutta.	Pizza, carne o pesce.	Lasagne o tagliatelle fatte in casa al ragù, arrosto misto, patate al forno.
Dove si mangia?	Al bar	A casa	A casa	In pizzeria / al ristorante	A casa

B

1   yogurt e cereali

2   alcol

3   adulti che lavorano

4   cibo cinese

5   crescita, aumento

C

1   un caffè nero

2   pranzo abbondante

3   cereali

4   spuntino

5   un ristorante etnico

6   più diversificati

D

1   Vent'anni fa gli italiani **pranzavano abbondantemente**, mentre oggi **fanno uno spuntino**.

2   Vent'anni fa gli italiani **mangiavano spesso a casa**, mentre oggi **fanno pasti fuori casa**.

3   Vent'anni fa gli italiani **bevevano molto alcol**, mentre oggi **evitano l'alcol**.

4   Vent'anni fa gli italiani **cucinavano a casa**, mentre oggi **vanno al ristorante etnico**.

5   Vent'anni fa gli italiani **andavano in pizzeria**, mentre oggi **vanno al fast food**.

Attività 6.2

A

1   Daniela mangia yogurt e cereali, qualche volta frutta. Laura beve soltanto un succo di frutta. Mario mangia una macedonia di frutta e beve una spremuta d'arancia.

2   Annalisa e Mario.

3   Daniela.

4   Laura. (Luciano lo mangia raramente.)

5   Mario.

6   Annalisa.

7   Margherita.

8   Luciano, Laura.

B

Here is a possible answer.

> Sono Ugo, un impiegato di 40 anni e sono vegetariano da un anno. Adoro le verdure crude. La mia dieta include anche le uova due volte alla settimana. A colazione mangio solo yogurt e il pranzo di solito è un'insalata mista, mentre la sera preferisco zuppe di legumi e riso. (*51 words*)

Attività 6.3

1   la degustazione

2   i piatti precotti

3   la condotta

4   aziende di produzione

5   una tavola calda

Attività 6.4

A

1–(d)   Gli italiani spendono 63 euro al mese per acquistare **pane e cereali**.

2–(b)   Gli italiani spendono la maggior parte dello stipendio mensile per acquistare **carne**.

3–(c)   Gli italiani spendono la minima parte dello stipendio mensile per acquistare **oli e grassi**.

4–(a)   Il penultimo posto nella graduatoria delle spese mensili è occupato da **zucchero, caffè e altri prodotti**.

B

Here is a sample answer; your answer may vary.

Ogni mese un quarto della spesa alimentare è destinato alla **carne**.

Gli italiani spendono 66 euro al mese per i prodotti tipici della dieta mediterranea cioè **patate, frutta e ortaggi**.

Una minoranza dei soldi viene riservata allo **zucchero e al caffè**.

Una percentuale minore dei soldi rispetto alla carne serve per **le uova, il latte e i formaggi**.

Le bevande sono al quinto posto.

Gli italiani spendono meno per **il pesce** che per la carne, solo 31 euro al mese.

Si spende pochissimo per **oli e grassi**, solo 17 euro al mese.

Il pane e i cereali occupano un terzo della spesa mensile.

C

Here is a possible answer.

Ogni mese io spendo circa il 25% dello stipendio per acquistare frutta e verdura perché siamo vegetariani.

Qualche volta mangiamo pesce e spendiamo circa £35 al mese.

Mangiamo molti dolci e dedichiamo un quarto della spesa mensile ai dolci.

Non ci piace molto cucinare, così ordiniamo piatti da asporto in rosticceria e spendiamo quasi un quarto dei soldi disponibili per questo!!

Per il pane spendiamo solo il 6% del totale mensile.

Spendiamo una piccola percentuale dello stipendio per le uova e per il latte.

Attività 6.5

A

1. Cambiano le abitudini alimentari degli italiani.
2. Il prezzo.
3. Perché sono meno cari / costano poco.
4. Per comprare qualcosa di economico.
5. No, preferiscono i discount e i supermercati.

B

Here is the completed text.

Ogni volta che il paese è attraversato da una crisi economica, cambiano le abitudini alimentari degli italiani perché ogni famiglia deve affrontare delle ristrettezze economiche. Gli italiani fanno immediatamente più attenzione alla spesa e sette su dieci **si lasciano** convincere dal prezzo.

Secondo un'indagine eseguita da Format-Salute / la Repubblica, per riempire il carrello in tempo di crisi ogni settimana gli italiani spendono in media 80 euro. **Si mangia** di più a casa e **si preferiscono** pasta e riso, perché le verdure sono troppo care.

Gli uomini sono meno attenti delle donne, che invece sono disposte a sacrificare i propri gusti per comprare qualcosa di economico. Per fronteggiare la crisi gli italiani cambiano anche punto vendita: vincono discount e supermercati, a discapito dei mercati rionali e dei negozi al dettaglio sotto casa. Ma anche se **si spende** meno, **si cerca** sempre la qualità: l'85% delle persone cerca di evitare cibi contaminati.

C

Here is a sample answer.

> **spesa** s.f. (*s* for 'sostantivo'; *f* for 'femminile')
>
> **prezzo** s.m. (*s* for 'sostantivo'; *m* for 'maschile')
>
> **verdure** s.f.pl. (*s* for 'sostantivo'; *f* for 'femminile'; *pl* for 'plurale')
>
> **cibi** s.m.pl. (*s* for 'sostantivo'; *m* for 'maschile'; *pl* for 'plurale')

Attività 6.6

A

1–(e); 2–(d); 3–(j); 4–(h); 5–(f); 6–(g); 7–(a); 8–(c); 9–(i); 10–(b).

B

1 Vero.

2 Falso. 'Nel Nord Italia la polenta è sempre stata un'alternativa alla pasta...'

3 Vero.

4 Falso. 'La polenta è un piatto ... servito con sughi a base di carne o verdure.'

5 Falso. Sono tutti 'tipi di riso coltivati nel Nord Italia'.

6 Vero.

7 Vero.

C

Here are some possible answers.

> *La Sagra del Pesce e Patate a Barga (Lucca, Toscana)*

La sagra si svolge dal 23 luglio al 19 agosto (date approssimative) nello stadio comunale di Barga. La festa trae le sue origini dagli emigranti barghigiani in Scozia che, tra la fine dell'Ottocento e l'inizio del Novecento, avevano aperto alcuni dei primi ristoranti che servivano 'fish and chips', pesce fritto servito con patatine.

> *Sagra della Castagna, Palio e Corteo Storico, Soriano (Viterbo, Lazio)*

La moderna sagra nasce nel 1968 ed è una rievocazione degli eventi più significativi della storia del paese, insieme ad un omaggio ad uno dei frutti del territorio: la castagna. Nel corteo storico sfilano nella piazza centrale e per le strade dell'antica cittadina più di 500 figuranti in costumi medievali e rinascimentali.

> *Sagra della Porchetta, Poggio Bustone (Rieti, Lazio)*

Poggio Bustone è il paese d'origine del cantautore Lucio Battisti. La prima domenica del mese di ottobre si festeggia San Francesco con la sagra della porchetta, uno dei prodotti più tipici della zona. La porchetta viene preparata con erbe aromatiche e cotta lentamente nel forno a legna. La giornata di festa si conclude con una processione religiosa che raggiunge il convento francescano.

> *Sagra del Bitto, Gerola Alta (Sondrio, Lombardia)*

La Sagra del Bitto è organizzata dalla pro loco di Gerola Alta in onore del tipico formaggio. La sagra, che si svolge la terza domenica di settembre, celebra il famoso formaggio Bitto, tipico della zona, prodotto sugli alpeggi durante il periodo estivo.

Attività 6.7

A

1   Sei chili.

2   Togliersi le scarpe.

3   Alessandro si sposa.

4   Non ci sarà nessun matrimonio.

5   Il pane.

B

The purpose of the present conditional in this dialogue is:

> To give advice.

C

Here are some possible answers. The verbs in the present conditional tense are highlighted in bold.

1   **Farei meglio** a trovare un cibo sostitutivo per il pane.

2   **Potrei** sostituire il pane con dei grissini.

3   **Sarebbe meglio** resistere al panettone.

4   Non **dovrei** bere caffè o alcolici.

5   **Dovrei** evitare il pane.

D

1–(c); 2–(b); 3–(d); 4–(e); 5–(a)

Attività 6.8

A

The informal imperatives in the text are:

> Mangia, non bere, smetti, prendi, non uscire, guarda, va', riposati, alzati

B

Here is the completed text, with the imperatives highlighted in bold.

> Se hai problemi ad addormentarti **non mangiare** troppo a cena, **non bere** caffè, **bevi** invece una tisana, **non fumare** troppe sigarette, **controlla** la temperatura della camera da letto, **fa'** una doccia calda e **va'** a letto sempre alla stessa ora.

> Se vuoi conoscere gente nuova, **non restare** a casa, **esci** con gli amici, **va'** a ballare, **fa'** sport, **cerca** di essere meno timido, **organizza** delle feste o **invita** semplicemente gente a casa tua.

C

1–(e); 2–(d); 3–(b); 4–(g); 5–(a); 6–(f); 7–(c)

D

	A	B	C
	Verbo	Imperativo	Resto della frase
1	**andare**	Va'	**a piedi.**
2	variare	Varia	la dieta.
3	mangiare	Mangia	poco burro.
4	limitare	Limita	i cibi già pronti.
5	contare	Conta	le calorie.
6	salire	Sali	le scale.
7	prendere	Non prendere	l'ascensore.
8	comprare	Non comprare	la cioccolata.
9	bere	Bevi	più acqua.
10	fare	Fa'	un po' di footing.

Attività 6.9

A

spegnila, falla, comprali, sostienili, falli

The direct object pronouns are placed immediately after the informal imperative forms, whether singular (prendilo) or plural (prendetelo).

B

1 Portalo!

2 Bevilo!

3 Preparala!

4 Scrivila!

5 Limitali!

6 Aggiungila!

7 Saltali!

8 Contale!

9 Evitali!

10 Mangiale!

Attività 6.10

A

Here is the e-mail text with forms of the verb servire highlighted in bold.

Ciao mamma!

Solo una brava cuoca come te può aiutarmi!

Per il 31 dicembre io e alcuni miei amici (in tutto saremo in nove) facciamo un cenone di capodanno a casa di un nostro amico. Indovina chi deve fare la spesa? Sì proprio IO!! Sono insicura su cosa **mi serve**. Abbiamo deciso, come da tradizione, di mangiare le lenticchie e lo zampone a mezzanotte, ma prima ci piacerebbe cucinare della carne arrosto con verdure al forno e insalata, seguiti dagli immancabili dolci natalizi:

panettone o pandoro, torrone, e frutta secca.

Allora, di sicuro **mi servono** le lenticchie! Quante? Poi **mi servono** quattro o cinque zamponi. Per l'arrosto non ho idea: quanta carne **mi serve**?? Forse **mi serve** anche il pane a pensarci bene... Sì, direi che **mi servono** circa tre chili di pane e tre chili di bistecche. Vorrei cucinare anche delle ottime salsicce nostrane, **me** ne **servono** due chili per nove persone, no? Per le verdure arrosto avrei pensato ai pomodori, ma quanti pomodori **mi servono** per tutti? E i dolci, e la frutta secca? Non ho pensato al vino!! Che disastro mammina... aiutami tu, **mi serve** una mano!

Come erano belli i cenoni di capodanno a casa tua ☺ Pensavi a tutto tu!

TVB

Chiara

B

Servire is used to talk about what you need. It has both singular (*mi serve*) and plural (*mi servono*) forms. It is often used in recipes to talk about the ingredients needed. The indirect pronouns (*mi / ti /gli / le / ci / vi / gli*) can be added to refer to the person(s) needing something.

C

Here are the completed sentences.

1 È molto difficile sapere quanti soldi **servono** per organizzare la ventesima edizione della Sagra della Fragola.

2 A Paolo **serve** subito un'idea per il menù di Natale.

3 Non ci **servono** i tartufi di Aqualagna, sono buoni ma troppo cari!

4 Che cosa gli **serve** per fare la famosa 'carbonara'?

5   Ho un problema: non mi ricordo quali ingredienti mi **servono** per preparare le frappe di Carnevale.

6   **Serve** il parmigiano sul risotto ai frutti di mare? No, sei matta? Non si usa il parmigiano con il pesce!

7   Ci **servono** due chili di strozzapreti all'uovo.

Attività 6.11

A

Antipasto: gamberetti in salsa cocktail, crostini burro e salmone

Primo: tagliolini panna gamberetti e zucchine, zuppa di pesce (con crostini)

Secondo: orata al sale, spiedini gratinati di seppie e gamberi

B

Here is a model answer.

> Voglio raccontarvi di un pasto tradizionale che ogni anno io, la mia famiglia e i miei parenti facciamo a casa mia prima della mezzanotte del 25 dicembre.
>
> Quest'anno abbiamo iniziato la cena verso le otto e il menù era tradizionale: molto pesce e verdure. Mi piacciono molto le verdure perché sono vegetariano. Per antipasto c'erano i crostini. Per primo ho preparato gli spaghetti con le vongole. Come secondo abbiamo mangiato il salmone e fritto misto di pesce. C'era anche del buon vino e alla fine lo spumante con il panettone.
>
> La cena della vigilia è stata bellissima perché c'erano molte persone e il cibo era buono. Mia madre e le mie zie hanno cucinato tutto il giorno: erano molto stanche e hanno speso molto per comprare il pesce perché è caro. Io suggerirei per la prossima cena della vigilia una cosa più rilassante: perché il prossimo anno non andiamo al ristorante? Però sarebbe meglio prenotare in anticipo.

This is a sample answer that a native speaker might have written.

> Voglio raccontarvi di un pasto tradizionale che ogni anno io, la mia famiglia e i miei parenti facciamo a casa mia prima della mezzanotte del 25 dicembre. La mia casa è spaziosa, con una sala da pranzo con un enorme tavolo per 16 persone. Il tavolo è decorato con fiori e mia madre usa sempre una meravigliosa tovaglia ricamata. Lei cucina tutto da sola, è bravissima! Quest'anno abbiamo iniziato la cena verso le otto e il menu era tradizionale: molto pesce e verdure. Per antipasto c'erano crostini al salmone e terrina di frutti di mare seguiti dai tradizionali tortelli di orata in salsa rosa fatti a mano dalla mamma e le tagliatelle fatte dalla zia Clara. Il secondo era una frittura mista con pesce freschissimo pescato dallo zio Giorgio e grigliata mista con verdure di stagione bollite. Poi anche patate arrosto e salmone in crosta: secondo la tradizione mia madre ha cucinato sette piatti a base di pesce. Da bere: spumante ovviamente e l'immancabile panettone! La cena della vigilia è stata ottima come al solito perché mia madre è una cuoca eccezionale e noi ci divertiamo molto insieme. Ma il cibo era troppo abbondante... Io suggerirei a mia madre di ridurre il numero delle portate e poi sarebbe meglio aiutarla in cucina così non si stanca troppo. Perché il prossimo anno non organizziamo qualcosa di diverso? Ognuno dovrebbe portare un piatto già cucinato per aiutare mia madre. Facciamo del nostro meglio. Serve l'aiuto di tutti per far divertire anche la mamma!!

Acknowledgements

Grateful acknowledgement is made to the following sources:

Text

Page 9: Ricca, G. (2005) *'La mia famiglia'* www.giovanniricca.it; *page 38: La Repubblica* (2000) *'E i bambini ci chiedono di proteggere gli animali'*, La Repubblica, 28 July 2000 www.repubblica.it/online/societa/bambi/bambi/bambi.html Reproduced with permission; *page 80*: Diregiovani.it (2008) *'Il futuro? I giovani lo immaginano'* Diregiovani.it, reproduced with permission www.diregiovani.it; *page 97*: Associazione Momart (2010) *'Mostra mercato d'arte 'Momart''*. Reproduced under the terms of a Creative Commons Licence.

Illustrations

Cover image: Galleria Vittorio Emanuele II, Milano: Copyright © Atlantide Phototravel/Corbis; *page 7*: Courtesy of Alberto Contarini; *page 10 (top)*: Copyright © Alexander Keller; *(centre)*: Copyright © Alexander Keller; *(bottom)*: Copyright © Anna Proudfoot; *page 11 (top)*: Copyright © Alessandro Taffetani; *(bottom)*: Copyright © Alexander Keller; *page 12 (top)*: Copyright © Anna Proudfoot; *(bottom)*: Copyright © digitalskillet/iStock; *page 13 (top)*: Copyright © Corinna Virginia de Marchi/Vagabonando; *(bottom)*: Copyright © Wolfgang Sauber, permission granted under the terms of the GNU Free Documentation Licence; *page 19*: Copyright © Sam Covington; *page 27 (top and bottom)*: Copyright © Anna Proudfoot; *page 30 (all images on page)*: Copyright © Anna Proudfoot; *page 33*: Copyright © Marka/Alamy; *pages 35, 41 (left), 44 (left and right), 56*: Courtesy of Elisabetta Tondello; *page 39*: Copyright © Josephine Fagan; *page 40*: Copyright © Sailorr/Dreamstime.com; *page 41 (top right)*: Copyright © Aurora Ghini; *(bottom right)*: Copyright © David Levenson/Alamy; *page 45*: Copyright © Anna Proudfoot; *page 49 bottom right*: Copyright © Anzeletti/iStock; *page 53*: Copyright © Sinnomore/Dreamstime; *page 54*: Copyright © Hulton Archive/Getty Images; *page 57*: Copyright © Trinity Mirror/Mirrorpix/Alamy; *page 59*: Copyright © Hans F Meier/iStock; *page 64 (top)*: Copyright © Davidaolo www.davidaola.it; *(bottom)*: Copyright © Maurizio Neri; *page 67*: Copyright © Paul Koziorowski/iStock; *page 71*: Copyright © Silvia Morara/Corbis; *page 72*: Copyright © Ekaterina Monakhova/iStock; *page 80 (top)*: Copyright © Ravi Tahilramani;iStock; *(bottom)*: Copyright © Keith Reicher/iStock; *page 87*: Copyright © Ulina Tauer/Dreamstime; *page 89 (all images on page)*: Copyright © Alexander Keller; *page 91 (top)*: Copyright © H-Gall/iStock; *(bottom)*: Copyright © Svemir/Dreamstime; *page 92*: Copyright © Elisabetta Tondello; *page 93*: Copyright © Ivo Blom; *page 94*: Copyright © Cineriz/Ronald Grant Archive; *page 94 (right)*: Copyright © Elisabetta Tondello; *page 105*: Copyright © David Gunn/iStock; *page 107 (left)*: Copyright © Ippi Falcon; *(right)*: Copyright © Feiji Riemersma/Dreamstime; *page 108*: Copyright © Majaiva/iStock; *page 113*: Copyright © Cheryl Casey/iStock; *page 117*: Copyright © Giulio Andreini/Marka/Alamy; *page 120*: Copyright © Seraficus/iStock; *page 124*: Copyright © David di Biase/stock.xchng; *page 126*: Copyright © Anna Proudfoot; *pages 127, 128 bottom right*: Copyright © Anna Proudfoot; *page 128 (left)*: Copyright © Elodie Vialleton; *(top right)*: Anna Proudfoot; *page 130 (left)*: Copyright © gkuna/iStock; *(right)*: Copyright © Anna Proudfoot; *page 131 (all images on page)*: Copyright © Anna Proudfoot; *page 136*: Copyright © Alan Caldwell; *page 140*: Copyright © Tommaso Masari www.crociereavela.it; *page 141*: Copyright © Anna Proudfoot; *page 143 (left)*: Copyright © Anna Proudfoot; *(top right)*: Copyright © Anna Proudfoot; *page 144*: Copyright © Anna Proudfoot; *page 149 (left)*: Copyright © Lucia Debertol; *(right)*: Copyright © Elodie Vialleton;